Heia, Sbecs!

Mair Wynn Hughes

Argraffiad cyntaf—Tachwedd 1996

ISBN 1 85902 406 8

CBAC

Cyhoeddwyd dan nawdd Cynllun Llyfrau Darllen
Cyd-bwyllgor Addysg Cymru

Argraffwyd gan
Wasg Gomer, Llandysul, Ceredigion

I
ANN

Mae'r tŷ 'ma a'i din am ei ben! Mae Dad yn fyr eithriadol ei dymer, Llŷr yn fwy o ddiafol nag erioed. Rhodri'n cael dannedd ac yn crio nes mae'i galon o'n torri a'm nerfau innau'n rhacs, a Mam yn ochneidio a gwneud wyneb 'fi druan' . . . a'r adeiladwyr yn llusgo'u traed ac yfed dwsinau o fygeidiau o de . . . *a'r estyniad a'r atig ar eu hanner*!

Estyniad ar gyfer Nain Tawelfa ydi o. *Granny Flat*, chwedl y Sais. Ac mae Mam yn gandryll am bod y ffasiwn lanast, a hithau hefo babi'n cael dannedd a dim llawer o eisio Nain arni p'run bynnag. Mae daeargryn emosiynol yn hitio'n tŷ ni pan mae'r ddwy o fewn canllath i'w gilydd. A Duw a'n helpo ni pan ddaw hi i fyw yma!

Ond chwarae teg, rydw i'n reit hoff o Nain. Y hi a fi yn dallt ein gilydd,—wel, bron bob amser, 'tê?' Ac mae ganddi galon feddal y tu ôl i'w chaledwch arferol, ond ichi dyrchio'n ddigon dwfn i gael hyd iddi.

A Haleliwia! Maen nhw'n ailwampio'r atig—i mi! Ac mi ga i hi'n llofft i mi fy hun, hefo ffenest to i wylio storm a hindda, a grisiau cul, cul i ddringo iddi, a fydd byth—*byth* angen imi gysgu ar y landin eto!

Does ryfedd ei bod hi'n draed moch yma rhwng popeth. A Gwenno Jones sy'n cael y gwaethaf o'r gorau, wrth gwrs. Rhedeg yma a rhedeg draw nes bod fy nhraed i'n stympiau. Sgifi ddi-dâl, ddi-freintiedig, ddi-bopeth ydw i!

'Mae fy nhraed wedi cyrraedd fy mhengliniau,' cwynais yn dorcalonnus wrth Siw pan ddaeth hi draw i weld sut roedd pethau. 'Bynions fydd y pethau nesa ga i.'

Ond doedd waeth imi heb â disgwyl cydymdeimlad. Mae Siw yn dotio at fabis. A dyna lle'r oedd hi'n 'wwio' ac yn 'aaio' uwchben Rhodri heb wrando dim arna i.

'Hei!' meddwn i. 'Pwy ddoist ti draw i'w weld? Fi 'ta hwnna?'

'Rhodri bach anwyla'r byd, cariad gorau Siw,' meddai hi mewn llais cyfoglyd o felys.

Ond y funud honno mi saethodd poen dannedd trwy gyms Rhodri, a dyma fo'n rhoi bloedd i ddeffro'r meirw.

'Ooo!' meddai Siw a golwg 'be wna i' braidd ar ei hwyneb. 'Be sy eisio'i wneud pan fydd o'n crio fel 'na, Gwenno?'

'Ei adael o i Mam,' meddwn i'n siort.

(Tydw i'n lwcus bod fy sbectol i'n fwgan mwya'r deyrnas gan Rhodri!)

A dyma fi'n gafael yn Siw ac yn ei gorfodi i fyny'r grisiau a'i thraed hi'n llusgo.

'Ond Gwenno,' meddai hi. 'Beth am . . .?'

Cau drws y llofft wnes i a phloncio Siw ar y gwely.

'Anghofia am fabis, a meddylia am dreialon dy ffrind gora,' meddwn i'n flin fy nhymer. 'Yli, dydi 'mywyd i ddim gwerth 'i fyw hefo'r llanast yn y lle 'ma.'

'Mi fuo mi allan hefo Prysor neithiwr,' meddai hi gan droi'r stori'n syth.

Roedd 'na olwg cath yn llyfu un o'r tuniau cig 'na ar y teledu ar ei hwyneb, a rhyw wên 'cuddio cyfrinach' hefyd.

'Allan â fo,' meddwn i'n syth. 'Be arall?'

'Mae o wedi gofyn . . .'

'Ia?' meddwn i.

'Wedi gofyn . . .' medda hi eto.

Wel, *siwgr gwyn*! Roeddwn i bron â chnoi f'ewinedd at fy ngarddwrn wrth ddisgwyl. '*Be* ofynnodd o?'

Gwrido ddaru hi a rhoi'i phen i lawr. Mi neidiais inna i gasgliad daeargrynyddol yn syth.

'Ydi o rioed wedi gofyn iti gambyhafio hefo fo? Rho di stop ar beth fel 'na'n syth!'

Roeddwn i'n synnu fod Prysor wedi gwneud y fath beth hefyd. Ond mi gewch eich siomi gan fechgyn ganwaith trosodd. On'd ydw i wedi profi hynny hefo Derec Wyn?

'Naddo siŵr. Sut medret ti feddwl hynny am Prysor o bawb?'

Roedd golwg llyncu hufen arni eto.

'Wel, cyfoga fo allan 'ta,' gorchmynnais.

'Mae o wedi gofyn imi fynd hefo fo . . . am byth.'

Mi syrthiodd fy ngên i.

'Am byth? Beth wyt ti'n 'i feddwl?'

'Ei briodi fo rywdro.'

Wel, mi roedd fy stumog i'n llawn eiddigedd. Siw wedi cael cynnig priodi! A beth am Derec Wyn, ac Iwan—a Rhun? Doedd 'run ohonyn nhw wedi crybwyll y ffasiwn air wrtha i.

'Fedrwn ni ddim nes inni dyfu i fyny, wrth gwrs,' meddai hi mewn llais breuddwydiol. 'Ond . . . neis gwybod bod dy ddyfodol di'n ddiogel, tydi?'

Roedd 'na surni'n codi i fy ngwddf wrth wrando arni. Ond mi'i llyncais i o'n benderfynol. Mae Siw yn ffrind imi. Yn ffrind gorau. Ac mi ddylai ffrind fod yn ddiolchgar am lwc ffrind, yn dylai? Ond roedd hi'n gebyst o anodd.

Roedd Derec Wyn wedi fy ffonio noson y parti Nos Calan, ac wedi bod reit glên hefyd. Ond rywsut, braidd yn gloff ydi pethau rhyngddon ni. Fedra i ddim anghofio'r ffrae honno gawson ni yng nghoridor yr ysgol. Am Mandy Webb. Ddylai fo ddim mynd â hi allan heb ddweud wrtha i. Siop sglodion neu beidio. A rhoi cyfle i Gwen edliw a gwneud pethau'n waeth wedyn. A rywsut, mae 'nghalon i'n mynnu caledu, nid maddau.

'Ardderchog,' meddwn i mewn llais cynnes, cyfeillgar, llawn llongyfarch.

(Gobeithio. Ond roedd hi'n andros o anodd!)

'A beth amdanat ti a Derec Wyn?' holodd Siw. 'Rwyt ti'n ôl hefo fo rŵan, dwyt?'

Oeddwn i? Doedd gen i ddim obadeia. Ddeudodd o ddim byd am hynny ar y ffôn, a wnes innau ddim chwaith. Dim ond siarad . . . a sôn am y parti Nos Calan . . . a dymuno Blwyddyn Newydd Dda i'n gilydd, a'n lleisiau ni'n gloff od fel tasan ni'n ddieithriaid bron.

'Dydw i ddim wedi penderfynu eto,' meddwn i'n dalog. 'Ga i weld.'

'Wel . . . mae Prysor . . .'

A dyma hi'n disgyn i ryw freuddwyd cudd eto a gwên bodlonrwydd ar ei hwyneb. A fûm i rioed yn falch o ffarwelio â Siw o'r blaen. Ond roeddwn i wedi cael llond bol. Peth ofnadwy ydi ymladd hefo bwystfil eiddigedd, yn enwedig os mai eich ffrind gorau sy'n achosi'r teimlad.

'Wela i chdi dydd Mawrth, 'ta,' meddai hi wrth ymadael.

'Iawn,' meddwn inna gan fethu gwybod sut roeddwn i am wynebu'r ysgol a phwysau'r byd ar f'ysgwyddau i.

Mae Nain Tawelfa'n ôl yn y cartref henoed. Ond ddim ond nes bydd yr estyniad yn barod. Mi fydda i'n meddwl weithiau y buasai Mam yn reit falch tasa fo ar ei hanner am byth! Hynny ydi, tasai hi'n cael gwared o'r llwch sy'n mynnu treiddio i bob twll a chornel, a chael fy atig inna i drefn hefyd.

'Rho'r hwfer ar garped y lolfa, wnei di, Gwenno,' gwaeddodd uwch dolefain Rhodri. Mi stwffiodd y dymi i'w geg i drio tawelu dipyn arno fo cyn i Dad ddŵad adra. 'A dipyn o bolish o gwmpas y set deledu.'

Sgifi orau Cymru!

'Wn i ddim pam mae eisio trafferthu,' meddwn i. 'Dydi o'n gwneud dim ond codi, a disgyn yn rhywle arall.'

Ochneidio ddaru hi a throi i drio paratoi cinio gyda'r nos a nyrsio Rhodri 'run pryd.

Mi fydda i'n pitïo drosti weithiau. Ond arni hi—a Dad—mae'r bai. Pam roedd eisio i ddynes ei hoed hi ailafael ynddi a chael babi? Ac mi ddylai Dad fod â mwy o synnwyr cyffredin yn ei benglog hefyd. Ond mae hi'n iawn ar ddynion. Nid y nhw sy'n gweld eu boliau'n tyfu'n rholyn am naw mis, yn mynd trwy'r perfformans o *gael* y babi, ac nid y nhw sy'n ei fagu wedyn chwaith!

'Ac wedi iti orffen hynny . . .'

Mi gaeais fy nghlustiau, a chwifio dwster llipa i gyfeiriad y teledu. Rydw i am fynd ar streic yn y lle 'ma a gofyn am fwy o gyflog. Mynnu'r isafbwynt cyflog —na, ei ddwbl—y mae'r holl ddadlau amdano. Yr hyn sy'n iawn i weithwyr, sy'n iawn i sgifis cartref. Ac mi sgwenna i at y Prif Weinidog i fynnu fy hawliau hefyd.

Mi agorodd drws y ffrynt fel corwynt. Llŷr, wrth gwrs! Dydi hwnna ddim yn gwybod sut mae cerdded i mewn i dŷ, ac yn sicr dydi o ddim yn gwybod sut mae rhannu gwaith!

Mi aeth ar ras i'r gegin.

'Garmon drws nesa eisio imi fynd i reidio beic,' gwaeddodd cyn diflannu fel ail gorwynt trwy'r drws.

'Llŷr!'

Ond roedd y drws wedi cau'n glep ar ei ôl cyn i Mam agor ei cheg bron. Roeddwn i'n clywed llais Mam yn codi'n dymherus. Ond doedd neb ond y waliau—a Rhodri—i glywed. Mi es i trwodd i'r gegin i dawelu'r dyfroedd.

'Does 'na neb yn gwerthfawrogi be rydw i'n 'i wneud yn y tŷ 'ma,' meddai Mam yn ffyrnig reit. 'Slafio o fore tan nos . . .'

Mi fedrwn daeru mai fi fy hun oedd yn siarad.

'Yli, Gwenno,' meddai Mam. 'Roedd gen i joban dda yn y dre cyn i . . .'

Roedd dagrau sydyn yn ei llygaid wrth i Rhodri wasgu ati.

'Ond chymrwn i mo'r byd am fod hebddo. 'Mond bod popeth yn mynd yn drech weithiau.'

Dyma hi'n eistedd yn llipa wrth y bwrdd a siglo Rhodri'n ôl ac ymlaen yn ei breichiau.

'A'r holl lanast sy'n y lle 'ma. Diddiwedd. A dy Nain yn disgwyl am ddŵad yn ôl, ac wn i ddim sut rydw i'n mynd i ymdopi. Na wn i wir.'

'Ond mi fydd gan Nain ei lle ei hun,' meddwn i'n gysurlawn.

'Hy!' medda Mam yn sur. 'Wyt ti'n meddwl y gwnaiff hi aros yno?'

Wel, roedd ganddi ddadl gref yn y fan yna. Doeddwn inna ddim yn gweld Nain yn aros yn ei lle ei hun chwaith. Ddim a chymaint o gyfleoedd i fusnesu a gweld bai ar bopeth reit o dan ei thrwyn hi.

Mi gyrhaeddodd Dad cyn inni siarad ymhellach.

'Adre!' gwaeddodd o ddrws y lobi cyn tynnu'i got a throi i'w osod ei hun ar gadair fwyaf cysurus y lolfa—a darllen ei bapur.

'Dynion!' meddwn i wrthyf fy hun a'm calon i'n gwaedu tros Mam.

A dyma fi'n ymdeithio'n filwriaethus i'r lolfa ac yn sefyll yn benderfynol o flaen Dad.

'Wel, Gwenno,' medda fo heb dynnu'i lygaid o'r papur. 'Helpu dy fam wyt ti?'

Mi fuo bron imi â ffrwydro. Helpu Mam! Goelia i! Sgifi orau'r flwyddyn. Tasa 'na fedal i'w chael am y ffasiwn beth, mi fuaswn i wedi'i hennill ers talwm.

Roeddwn i ar fin agor fy ngheg i egluro 'be oedd be' wrtho fo pan roddodd Rhodri andros o floedd arall. A dyma fi'n rhuthro'n ôl i'r gegin, yn ei gymryd o freichiau Mam, ac yn brasgamu'n ôl i'r lolfa a'i bloncio fo ar lin Dad.

Wrth gwrs, roedd yn rhaid i Rhodri gael bloeddio'n uwch wrth weld fy sbectol mor agos ato, ac erbyn iddo fo gyrraedd glin Dad, roedd o wedi ymollwng iddi o ddifri nes roedd y lle'n diasbedain.

'Gwe . . .' cychwynnodd Dad wrth weld ei bapur yn cwympo'n blygeidiau o dan bwysau babi yn sgrechian nes roedd ei wyneb o'n biws.

Ond wnes i ddim aros i wrando. Roeddwn i'n ôl yn y gegin ac yn taflu iddi i helpu Mam mewn chwinciad.

'Diolch, Gwenno,' meddai hi a rhyw olwg hanner syfrdan yn ei llygaid. 'Be ddeudodd dy dad?'

'Dim cyfle iddo ddweud dim,' meddwn i gan wenu'n glên arni.

'Iawn, felly,' meddai hi a dechrau chwerthin.

Mae Mam a finna'n agos iawn weithiau, yn enwedig pan mae'n fater o hawliau merched yn y tŷ 'ma. Ond weithiau ydi'r gair.

Fel arfer, mae hi'n slaf i'r syniad hen ffash fod gan Dad a Llŷr hawl i lolian o gwmpas tra mae pawb arall yn gweithio!

Roedd yna grio heb ei ail yn dŵad o'r lolfa, ond chymerodd yr un ohonon ni sylw, dim ond paratoi'r cinio'n ddistaw a gwenu ar ein gilydd bob yn ail.

'Menai,' meddai Dad o ddrws y gegin. 'Wnaiff o ddim stopio crio.'

Roedd golwg 'be wna i' ofnadwy ar ei wyneb, ond caledu'n calonnau wnaethon ni ein dwy.

Erbyn hyn roedd Rhodri'n gollwng afon lafoeriol tros siwt weithio Dad.

'Yli be wnaeth o!' meddai Dad yn prysur golli'i limpyn. 'Cymra fo, Gwenno.'

'Dim amser y funud 'ma,' meddwn i. 'Helpu Mam.'

Ond, wrth gwrs, mi feddalodd calon Mam ac mi afaelodd yn Rhodri. Ac mi gaeodd hwnnw'i geg ar amrantiad a dim ond rhyw ebychu fel mynydd tân bron â ffrwydro yn ei breichiau. Fuodd hi fawr o dro â chyrraedd am y Calpol! Mae hwnnw'n gwella popeth yn ôl y broliant ar y botel.

'Ble ma'r cadach, Gwenno?' holodd Dad.

Mi fuasech yn meddwl mai dieithryn ydi o'n y tŷ 'ma. Mi chwifiais law i gyfeiriad y sinc a dal ymlaen i grilio'r bacwn a chadw llygaid ar y sglodion.

Ac wedi iddo din-droi ychydig a cheisio rhwbio dipyn ar y clytyn glafoeriog ar ei siwt, a chwyno o dan ei wynt, mi gychwynnodd Dad am y grisiau.

'Well imi newid fy siwt, Menai,' meddai fo. 'Fedri di ddim magu Rhodri a pharatoi cinio.'

Haleliwia! Roedd o wedi gweld y goleuni o'r diwedd! Mi fedr tipyn o lafoerion ar siwt gyflawni gwyrthiau!

Mi ddaeth Llŷr i mewn yn fwd ac yn faw i gyd.

'Wedi syrthio,' medda fo gan wneud wyneb torcalonnus. ''Mhen-glin i'n gwaedu.'

'Molcha hi, 'ta,' meddwn i'n galongaled.

'Ond mae hi'n *gwaedu*!'

'Y diferyn bach yna?' wfftiais. 'Well iti frysio neu mi fyddi'n farw gelain o goll gwaed.'

'Mae hi'n *brifo*!'

A dyma fo'n dechrau cynadu, a dweud wrth Mam fy mod i'n cael hwyl am ei ben ac yn gwrthod trin ei ben-glin, a honno'n brifo'n *ofnadwy* ac yn gwaedu'n afon. Ac, wrth gwrs, roedd Mam yn cydymdeimlo'n syth.

'Molcha hi iddo fo Gwenno,' meddai hi. 'A rhoi eli a phlaster o'r cwpwrdd.'

'Ond Mam! Rydw i'n paratoi'r cinio,' meddwn i mewn llais hir ddioddefus.

'Rŵan hyn, Gwenno,' meddai Mam.

Does 'na ddim cyfiawnder yn y byd 'ma. Rydw i wedi penderfynu hynny ers talwm.

Mi ffoniodd Derec Wyn.

'Barod am yr ysgol fory?' meddai fo.

'Ydw,' meddwn inna.

'Ym . . .'

'Ia?' meddwn i.

'Wel . . . meddwl oeddwn i . . .'

'Ia?' meddwn i eto.

Oedd o am ofyn imi fynd allan o ddifri hefo fo eto? Oeddwn i eisio?

'Meddwl y buasai'n well imi ddweud wrthyt ti . . .'

Roeddwn i'n dechrau colli'n limpyn braidd.

'Dweud be, Derec Wyn?' holais yn reit siort.

Wedi'r cwbl, mae 'na ddiwedd i amynedd pawb, does? Yn enwedig amynedd geneth a gafodd ei throi heibio am fod Mandy Webb geg yn geg hefo'i chariad, a hynny yn ei gartre hefyd.

'Mae Mandy yn aros hefo ni eto.'

'Ooo?'

Roedd fy ewinedd i'n brathu i gledr fy llaw, ond doeddwn i ddim am ddangos 'mod i'n teimlo iotyn!

'Ydi. Gwaith ei thad heb ei orffen yn y ffatri.'

'O!'

'Mi fydd yn dŵad i'r ysgol eto.'

'O!'

Roedd fy ngheg i wedi rhewi'n 'O!' Ond tasa

rhywun yn rhoi miliwn imi fedrwn i ddweud dim arall. A fedrwn i yn fy myw benderfynu a oedd ots gen i ai peidio. Ac eto . . .

'Wel, deuda rhywbeth heblaw "O!",' medda fo'n reit bigog.

'Dim i'w ddweud, nac oes?' meddwn i. 'Dy fusnes di ydi o.'

'Ond . . . roeddwn i wedi meddwl . . . wedi gobeithio . . .'

Roedd fy nghalon i'n llamu ar fy ngwaethaf. Roedd o eisio imi fod yn gariad iddo fo eto. Siŵr o fod! A dyma fi'n dechrau hel atgofion. Derec Wyn yn prynu Wispa imi a ninnau'n cerdded yn glòs glòs hefo'n gilydd. A'r gusan gynta honno gefais i . . . ar fy nhrwyn o bobman. A'r gusan wedyn yn *llofft* Derec Wyn pan aethon ni yno i chwarae recordiau. Un araf, gynnes, go iawn nes roedd bodiau 'nhraed i'n cyrlio!

'Oeddet ti?' holais yn sydyn swil.

'Ddoi di?' medda fo.

'Wel, wn i ddim,' meddwn i. 'Mandy . . .'

'Dim ots am honno,' medda fo'n gry.

'Os wyt ti'n dweud,' meddwn i a'm calon yn dechrau carlamu fel haid o wartheg rhusiog.

'Mi ddo i draw,' medda fo'n sydyn. 'Rŵan!'

Wel, dyna be ydi meistrolgar!

'Iawn,' meddwn i'n wangalon.

A dyma fi'n dechrau gwneud dawns fach ddistaw ar lawr y lobi.

'Gwenno! Mae eisio iti llnau dy lofft tra bydda i'n mynd â Rhodri am dro,' cyhoeddodd Mam.

'Ond fedra i ddim . . .'

'A be sy'n dy rwystro di?' holodd Mam yn dymherus.

'Derec Wyn yn dŵad,' meddwn i. 'Plîs, Mam. Mi llneua i hi eto.'

Mi bletiodd Mam ei gwefusau am eiliadau hir. Yna, dyma hi'n nodio'n erbyn ei hewyllys.

'Iawn, ond iti gadw at dy addewid,' meddai hi o'r diwedd.

Mi wna i rywbeth ond imi gael bod yng nghwmni Derec Wyn unwaith eto. Yn gariadon!

Rydw i'n synnu braidd ataf fy hun achos mi roeddwn i wedi penderfynu nad oeddwn i fymryn o'i eisio fo. Digon o gariadon eraill ar stepan drws gen i. Iwan a Rhun. Ond rywsut, roedden nhw'n gysgodion yn ymyl Derec Wyn.

'Yiipî!' mddwn i wrthyf fy hun a diflannu ar ras i fyny'r grisiau.

Be wisgwn i? Rhywbeth secsi a wnâi iddo wresogi wrth fy ngweld i? Biti na fuasai gen i fronnau siapus, rhai sy'n aros yn llonydd wrth ichi redeg. Ond rhyw bethau ar chwâl sy gen i, a rheini'n bownsio'n ddi-reol ar unrhyw gyflymdra mwy nag unfan stop! Ac mae'r bra diwetha 'ma brynodd Mam imi yn eu gwneud nhw'n unochrog drybeilig.

'Mae *gen* ti fronnau,' sylwodd Siw pan gwynais i rywdro. 'Edrych ar fy rhai i. Does 'na ddim ohonyn nhw!'

Debyg na fedrwch chi newid beth sgynnoch chi, os nad ydych chi'n graig o arian ac yn medru talu'n ddrud am y fraint. Mi welais i ddynes ar y teledu wedi newid popeth. Cael siapio'i phen ôl, siapio'i hwyneb, ailwampio'i bronnau, ailwampio'i chorff i gyd nes roedd hi'n llyfn a heb rincl o'i phen i'w thraed. Ac roedd hi am ddal ymlaen hyd ei bedd, medda hi. Ond fedrwn i ddim gweld ei bod hi lawer gwell yn y diwedd.

Mi fodlonais ar fy jîns a thop pinc o'r diwedd. Rhoi'r ffidil yn y to wnes i wedi trio hyn a'r llall a phenderfynu nad oedd 'run ohonyn nhw'n gwneud imi edrych fymryn gwell.

'Hylô!' meddai Derec Wyn wrth imi agor y drws.

Dew! Mae o'n hogyn del. Y pishyn mwya anfarwol sydd yn yr ysgol. Goliath o fachgen gyda gwallt tywyll . . . a llygaid . . . wel, fedra i mo'u disgrifio nhw'n iawn—fel melfed euraidd cynnes, am wn i. Ac roedden nhw'n edrych yn gynnes eithriadol arna i rŵan a rhyw wên fach neis ar ei wefusau fo. Mi doddodd fy nghalon yn syth.

'Tyrd i mewn,' meddwn i mewn llais bloesg.

Wel, roedd llyffant cariad yn fy llwnc, doedd!

A dyma fo'n camu tros y trothwy ac yn ymaflyd yndda i'n syth ac yn fy ngwasgu ato nes roeddwn i bron â cholli hynny o anadl oedd gen i.

'Wedi dy golli di,' medda fo a fy ngwasgu'n dynnach nes roeddwn i'n ymwybodol o bob asgwrn o'i gorff.

Howld on, meddwn i wrthyf fy hun. Mae pethau'n mynd yn boeth braidd yma. A dyna pryd gwnes i sylweddoli bod Derec Wyn a finna'n tyfu i fyny, ac yn dechrau cael teimladau dipyn bach yn gnawdol. Roedd yna deimladau—wel, rhywiol—yn ymledu trwy 'nghorff i, ac roeddwn i eisio i Derec Wyn fy ngwasgu ato nes imi doddi'n un â fo.

Siwgr gwyn! Mi rois i dipyn o sioc i mi fy hun. Un peth ydi darllen am bethau fel 'na mewn nofel, ond peth arall ydi eu blasu. A doeddwn i ddim eisio i bethau fynd tros ben llestri rhyngddon ni, yn enwedig a ninnau ar ein pennau ein hunain yn y tŷ. Pwy wyddai beth a ddigwyddai a finna wedi bod mor gadarn yn cynghori Siw?

Yna dyma fo'n dechrau fy nghusanu. Wel, digon ydi digon pan ydych chi ar fin cwympo tros ddibyn. A dyma fi'n dechrau ymladd fy ffordd o'r carchar octopws.

'Be sy?' medda fo'n ddiniwed.

'Dim . . . byd,' meddwn i'n wantan.

Ond erbyn hynny roedd yntau wedi dŵad tros ei funud wan hefyd.

'Sori, Gwenno,' medda fo a'i wyneb yn fflamgoch.

'Fuaswn i'n meddwl wir,' meddwn i'n siort.

Ond doeddwn i ddim eisio ei ddigalonni chwaith. Mae eisio tipyn o gyffro mewn perthynas er bod Mam a Dad wedi rhybuddio digon am chwarae'n beryg.

'Tyrd i'r lolfa,' meddwn i. 'Wyt ti eisio coffi?'

Rywsut, roeddwn i'n teimlo'n swil ryfeddol. Fel tasa fy nghorff ar dân, ond nad oeddwn i eisio i neb wybod.

'Mi ddo i hefo ti i'w wneud o,' medda fo a fy nilyn i'r gegin.

Roeddwn i wedi gobeithio cael munud neu ddwy i ddŵad ataf fy hun. Ond roedd o wrth fy nghwt ac yn ailafael yndda i cyn gynted ag y rhoddais i'r tegell i ferwi.

Ond gafael cyffredin dau yn ffrindiau yn ogystal â chariadon oedd o y tro yma, ac mi fedrais inna ymlacio ychydig.

'Wedi dy golli di, ysti,' medda fo. 'Yn ofnadwy.'

Roeddwn innau wedi'i golli yntau hefyd, er fy mod i wedi cael cwmpeini Rhun ac Iwan. Ond roedd yn rhaid imi wynebu'r ffaith—Derec Wyn oedd fy nghariad i.

'A finna chdithau,' meddwn i.

'Dydi Mandy'n cyfri dim,' medda fo. 'Niwsans ei bod hi'n aros acw.'

'Paid â sôn amdani,' meddwn i'n reit dymherus.

'Ia . . . ond trio egluro . . .'

'Does dim angen,' meddwn i.

Dyna ydi drwg bechgyn. Fedran nhw ddim gadael

llonydd i bethau. Mae'n rhaid iddyn nhw boenydio a phoenydio rhywbeth ddylai gael ei anghofio. Er, wn i ddim sut rydw innau am anghofio Mandy Webb chwaith, a hithau yno am ddeufis eto, ac am fod o dan fy nhrwyn i byth beunydd yn yr ysgol.

'Be oeddech chi'n ei wneud gyda'r nosau?' holais yn erbyn fy ewyllys bron.

Yn sydyn, roedd o'r peth pwysicaf yn y byd imi gael gwybod. Oedden nhw rioed wedi bod yn eistedd yn llofft Derec Wyn, yn gwenu ar ei gilydd—yn *cusanu*?

Mi wingodd Derec Wyn yn annifyr.

'Hyn a'r llall,' meddai fo'n gloff.

'Pa hyn a'r llall?' holais a rhyw dwll mawr yn ymledu yn fy stumog.

'Wel . . . siarad, a gwylio'r teledu, defnyddio'r cyfrifiadur . . .'

'O ia?' meddwn i'n ymholgar. 'A gwrando ar recordiau debyg. Yn dy lofft.'

'Wel . . . weithiau,' medda fo'n gyndyn. 'Ond rydw i wedi cael system newydd rŵan,' ychwanegodd gan droi'r stori'n nêt. 'Crynoddisgiau. Recordiau'n hen ffash, tydyn? A dim i'w cael. Dim ond casetiau a chrynoddisgiau.'

On'd oeddwn i'n gwybod hynny'n iawn, ac wedi blysio a blysio cael system newydd fy hun. Hen un Mam a Dad oedd gen i. Ac er 'mod i'n dal fy ngafael yn gadarn ynddi a rhwystro Llŷr rhag cael ei bawennau arni, roeddwn i bron â thorri 'mol eisio un fodern. Ond gobaith mul sy gen i hefo'r llanast a hylabalŵ'r estyniad newydd a minnau'n cael y fraint o gael yr atig i mi fy hun. Does ryfedd bod Mam a Dad yn cwyno bod arian yn brin, a chostau'n uchel, heblaw bod babi newydd yn llyncu pres.

Roeddwn i'n reit ddrwgdybus ynglŷn â'r gyda'r nosau 'na rhwng Derec Wyn a Mandy. Ond cau fy ngheg ddaru mi a diolch ein bod ni'n gariadon eto. A phan gyrhaeddodd Mam hefo'r goits, roedden ni'n glòs ar y soffa ac yn mwynhau coffi a bisgedi.

'Coffi!' ebychodd Mam pan welodd hi'r mygiau. 'Gwna un imi, wir, Gwenno. Rydw i bron â disgyn. Sut hwyl, Derec Wyn?'

A dyna ddiwedd ar sgwrs fach glòs gynnes yn ei gesail. A fuo fo fawr o dro wedyn cyn dweud fod yn rhaid iddo fynd, ond y gwelai o fi yn yr ysgol ddydd Mawrth.

A doedd dim i minnau'i wneud ond dringo'r grisiau ac ymroddi iddi i sgifio'n freuddwydiol yn y llofft ac ail-fyw y teimlad godidog gefais i ym mreichiau Derec Wyn. Whiw!

Mi es i'r cartref i weld Nain Tawelfa gyda'r nos.

'A lle buost ti ers dyddiau?' oedd ei chyfarchiad pigog cynta.

'Ond Nain, roeddwn i yma echdoe,' meddwn i'n rhesymol.

'A beth oedd o'i le ar ddoe, ys gwn i?' meddai Nain yr un mor bigog.

Does 'na ddim plesio ar rai pobl, yn nac oes?

'A lle mae'r hogyn mab 'na sy gen i?' holodd wedyn. 'Yn tin-droi'n ei unfan yn lle gofalu bod y gweithwyr 'na'n ennill eu harian, debyg?'

'Mae 'na waith adeiladu estyniad, Nain,' meddwn i. 'Eisio i'r lle fod yn "tip top", does?'

'Gan mai fi sy'n talu—oes,' meddai Nain yn siort.

'Y chi?' meddwn i'n gegagored.

Roeddwn i wedi deall mai Dad oedd yn talu oddi wrth yr holl gwyno yn ein tŷ ni. Dangos ichi bod rhieni'n medru lliwio'r gwir pan mae o'n ei siwtio nhw, yn enwedig a finna wedi awgrymu'n reit gryf bod system grynoddisgiau'n anrheg pen blwydd delfrydol i rywun fy oedran i. Mi fuasech yn meddwl imi ofyn am y *lleuad* yn ôl yr ymateb!

'Gwerthu Tawelfa, tydw,' meddai Nain. 'Fy hen gartre. Fy *unig* gartre. Lle buo mi mor hapus hefo dy daid.'

A dyma hi'n ochneidio fel tasa'r byd ar ben.

'Ond mae *unrhyw beth* yn well nag aros yn y twll lle 'ma,' meddai'n gry. 'Llawn o hen bobl.'

Mi fuo'n rhaid imi guddio gwên achos mae Nain yn reit hen ei hun, tydi?

Mi ddaeth un o'r gweinyddesau o rywle.

'Neis gweld Gwenno'n edrych amdanoch chi, Jane,' meddai'n gyfeillgar.

A chyn i Nain gael ei gwynt ati, roedd hi wedi gafael o dan ei chesail, wedi ei phlygu ymlaen, pwmpio'r glustog y tu ôl i'w chefn yn gysurus, ac wedi sgubareiddio ymlaen at y truan nesaf.

Mi dduodd wyneb Nain wrth glywed y 'Jane'.

'A pha bryd rois i ganiatâd i gyw bach fel 'na fy ngalw wrth fy enw bedydd?' harthiodd a'i llygaid yn melltennu. Chwifiodd ei ffon. 'Rydw i'n dweud wrthyt ti, Gwenno. Waldan gaiff hi os agorith hi ei cheg fel 'na eto.'

'Nyrsio ffasiwn newydd ydi o, Nain,' meddwn i. 'Mi ddarllenais amdano mewn cylchgrawn. Gwneud i bawb deimlo'n gartrefol.'

Rhoi snort anferth trwy'i thrwyn wnaeth Nain ac edrych yn filain o gwmpas y lolfa.

'A pheth arall,' meddai'n siort. 'Mae Magi Tŷ Isa yma.'

'O,' meddwn i'n ddiniwed. 'Hen ffrind ichi?'

A dyma fi'n edrych o gwmpas a gweld y ddynes yma'n gwenu a nodio i 'nghyfeiriad i o gongl y lolfa.

'Nacw? Mae hi'n edrych yn glên iawn,' meddwn i.

Roeddwn i ar fin gwenu'n ôl arni pan gefais bwniad egr gan Nain.

'Clên? Fel mae neidr yn glên, yli.'

Tybed? Roedd hi'n edrych yn ddynes fach hollol ddiniwed i mi.

'On'd ydw i'n ei hadnabod hi erioed,' snortiodd Nain. 'Trio bod yn geffyl blaenllaw yn y capel, ac ofn i neb arall gael ei drwyn i mewn.'

Wel, roeddwn i'n gwybod bod gan Nain Tawelfa feddwl mawr o'r capel. A phan fyddwn i'n aros hefo hi ers talwm, mi fyddai'n rhaid imi fynd yno hefo hi a gwrando ar bregeth am feiau'r oes sydd ohoni heddiw, a Nain yn porthi pob gair wrth fy nghlust i.

'Dydi hi ddim yn cael cyfle i fod yn geffyl blaen rŵan,' meddwn i.

'Nac ydi?' holodd Nain. 'Trio dwyn fy nghadair y bore yma. A hithau'n gwybod mai hon hefo'r cefn uchel ydi f'un i.'

Nodiodd yn filwriaethus.

'Ond buan y gwelodd hi ei chamgymeriad.'

Roeddwn i ofn ofnadwy i Nain dynnu pawb yn ei phen. Fyddai'r estyniad ddim yn barod am wythnosau! Beth petai hi'n cael ei thaflu allan o'r cartref cyn hynny? Doeddwn i ddim eisio cysgu yn y gwely gwersyllu ar y landin. Ddim petaech chi'n *talu* imi!

Roddwn i *yn* paratoi i dawelu dipyn bach ar ei thymer pan agorodd drws y lolfa. A dyma Nain yn eistedd i fyny'n syth ac yn gwenu a nodio'i phen fel petai hi'r frenhines.

'John!' medda hi. 'Dowch i eistedd i fan 'ma. Gwna le iddo fo, Gwenno.'

Ar yr un pryd dyma 'na lais arall o'r gornel yn galw 'John' hefyd. Magi Tŷ Isa! Duodd wyneb Nain.

'Fan 'ma, John,' meddai hi gan roi hwyth reit egr i mi oddi ar fy nghadair.

Roedd y dyn druan yn edrych fel cwningen mewn trap, a dim syniad ganddo fo ffordd i ddianc. Ar ôl yr hwyth, mi neidiais ar fy nhraed, a fedrwn i wneud dim ond edrych o un i'r llall a dyfalu beth oedd wedi dŵad trostyn nhw.

Ond wedi eiliadau o gyfyng gyngor, mi drodd y dyn bach ac i ffwrdd â fo yn ôl trwy'r drws a thân o dan ei sodlau.

'Yli be wnaeth hi rŵan,' grwgnachodd Nain gan wgu fel randros i gyfeiriad Magi Tŷ Isa. 'Methu gadael llonydd i neb mewn trowsus. Fel'na buo hi rioed. Ond os ydi hi'n meddwl fy mod i am eistedd yn fan'ma a gadael llonydd iddi . . .'

Dyma hi'n gwgu fwyfwy i gyfeiriad y gongl.

'Mi driodd ddwyn dy daid oddi arna i cyn inni briodi.'

Daeth gwên i'w hwyneb.

'Ond lwyddodd hi ddim. Mi ofalais i am hynny.

'Dwyn Taid?'

Mi droais i edrych ar y ddynes bach ddiniwed yn y gornel. Trio dwyn Taid? Honna? Fedrwn i ddim coelio'r peth.

'Be wnaethoch chi?' holais yn awchus.

Mi feddyliais ar unwaith am Mandy Webb a'r drafferth gefais i hefo hi—ac efallai y drafferth gawn i eto hefyd. Mi fuasai dipyn bach o gynghorion gan Nain yn help imi wregysu erbyn y frwydr.

'Dal fy ngafael ynddo fo, siŵr iawn.'

'Ond *sut*, Nain?'

'Gofalu'i fod o fwy o f'eisio fi nag o'i heisio hi.'

Nodiodd Nain yn fuddugoliaethus.

'Sbiodd o ddim arni wedyn iti.'

Mae Nain yn un dda am frolio, ond dydi hi ddim yn un dda am egluro'r pwyntiau pwysig. Sut oeddwn i am ofalu bod Derec Wyn fwy o f'eisio i na Mandy Webb, yn enwedig a honno'n byw yn yr un tŷ â fo?

'Dos di adre at dy dad a dweud wrtho fy mod i eisio dŵad o 'ma,' gorchmynnodd Nain. 'Cyn imi lofruddio Magi Tŷ Isa!'

Roeddwn i'n gweld bod pethau'n anelu am ryfel cartref yn y Cartref—ac y byddai Nain a Magi Tŷ Isa yng ngyddfau'i gilydd cyn pen dim. Felly, mi addewais ddweud y neges wrth Dad yn syth bìn Mi brysurais oddi yno a geiriau diwetha Nain yn atseinio yn fy nghlustiau.

'Cofia di rŵan, Gwenno!'

Wrth gwrs, doedd 'na ddim derbyniad llewyrchus iawn i'r neges.

'Eisio dŵad oddi yno?' meddai Mam yn methu â choelio'i chlustiau. 'Newydd fynd yno mae hi, a dydi'r estyniad ddim yn barod . . .'

'Anghydweld hefo rhyw ddynes arall mae hi,' meddwn i. 'Magi Tŷ Isa.'

Ebychodd Dad a phwyso'i ben ar ei ddwylo.

'Ydi *honno* rioed yno? Duw a'n helpo ni—a'r cartref hefyd!'

'Ond be ydi'r broblem?' holais. (Er fy mod i'n gwybod am y trio dwyn cariad ers talwm.)

'Mae'r ddwy benben rioed,' meddai Dad yn anobeithiol. 'Waeth i dy nain ddŵad o 'na ddim. Cyn iddi gael ei throi allan. Ac mae'r lle'n costio digon.'

'Waeth faint mae o'n 'i gostio,' meddai Mam yn chwyrn. 'Dydw i ddim o'i heisio hi yma nes bydd yr estyniad wedi'i orffen. A dyna ddiwedd arni, Myrddin.'

'Arian Nain ydi o, 'tê?' meddwn gan roi fy mhwt i mewn. 'A hi sy'n talu am yr estyniad hefyd. Roeddwn i'n meddwl mai chi . . .'

'Rheitiach i tithau beidio busnesu,' meddai Mam yn chwyrn.

'Ond roeddwn i'n meddwl . . .'

Roeddwn i'n benderfynol o gael fy maen i'r wal. Y nhw soniodd am gost yr estyniad pan soniais inna am system grynoddisgiau. A doedd o'n gost o gwbl iddyn nhw wedi i'r gwir ddŵad allan.

'Methu fforddio ddeudoch chi pan ofynnais i am system grynoddisgiau,' meddwn i'n surbwch.

'O, Gwenno, ddim y dôn gron yna eto,' meddai Mam yn hir ddioddefus. 'Mae yna ddigon o gostau yn y tŷ 'ma heblaw yr estyniad. Yr atig i ti yn un.'

Mi groesais fy mysedd rhag ofn iddyn nhw ailfeddwl ynghylch yr atig. Ond y gwir amdani ydi mai costau'r babi fu'n syrpreis annisgwyl i bawb. Mi ofala i na fydd babi'n syrpreis i Derec Wyn a finna. Cyn priodi, na *wedi* priodi chwaith. Sgin i fawr i ddweud wrth fabis, hyd yn oed ein Rhodri ni, er fy mod i'n cael ambell i funud wan a'i weld o'n beth bach eitha del. Ond mae babis yn rhy hoff o grio a chynadu a chadw rhywun yn effro, ac mae eisio angel i'w magu nhw.

Mi roddodd Dad ei law ar fy mraich a'i gwasgu.

'Tasan ni'n medru fforddio, mi fuasen yn prynu un iti, Gwenno,' medda fo. 'Ond rhaid iti gofio fy mod i wedi bod yn hir heb waith. A rŵan, dydi dy fam ddim yn medru gweithio o achos Rhodri.'

Mi roddodd Mam ei chwpan ar ei soser yn deidi a golwg benderfynol ar ei hwyneb.

'Mi fedrwn ddechrau gweithio fory nesa,' meddai. 'Gweld y rheolwr ar y stryd ddoe. Mae fy hen joban yn wag.'

Mi edrychais fel het arni.

'Mynd yn ôl? I weithio? Be wnewch chi hefo Rhodri?'

'Mae 'na ffasiwn beth â meithrinfa,' meddai.

Mi fedrwn weld oddi wrth wyneb Dad nad oedd o'n hoffi'r syniad lawer. Ond rydw i'n credu'n gryf mewn hawliau merched. Hawl i weithio, hawl i stopio, hawl i drefnu'u bywydau o gwmpas babis os ydyn nhw eisio.

'Syniad da, os mai dyna 'dach chi eisio,' meddwn i.

'Wel, mi gawn ni weld,' meddai hi heb sbio'n iawn ar Dad.

Ac yn sydyn roeddwn i'n synhwyro bod 'na ryfel cartref yn y cartref yma hefyd, a'u bod nhw'n anghyd-weld ynglŷn â'r dychwelyd i weithio 'ma.

'Ylwch help fydd o hefo'r morgais, Dad,' meddwn i.

Ac yn ddistaw bach, roeddwn i'n gobeithio y buasai fo'n help hefo fy nghais inna am system grynoddisgiau hefyd.

Ond fe gaeodd y ddau eu cegau fel tasa rhywun wedi'u pwytho, a doedd modd cael gair arall ar y pwnc gan 'run ohonyn nhw.

Mi ffoniais Derec Wyn ar ôl cinio. Rhyw hanner gobeithio y buasai fo'n dŵad i'r dre roeddwn i. Blysio cael cyfarfod yn Wimpy a chael coffi efallai.

'Hylô!' meddai llais ei fam.

'Y . . Gwenno sy 'ma,' meddwn i'n reit swil.

Oedd hi'n gwybod bod Derec Wyn a minnau'n gariadon unwaith eto, tybed?

'O, chi sy 'na, Gwenno,' meddai hi mewn llais 'meddwl rywle arall'. *'Yes, put them down there for a minute, Mandy,'* meddai'n glên. 'Derec Wyn . . . ffôn iti,' galwodd.

Mi ddisgynnodd fy nghalon i fy sgidiau. Roedd y *hi gebyst* wedi cyrraedd. Mandy Webb!

'Heia, Gwenno!' Llais Derec Wyn.

'Heia,' meddwn i heibio'r lwmp yn fy ngwddf.

'Meddwl y buasen ni'n cyfarfod yn y dre pnawn 'ma,' ychwanegais.

Roedd yna ddistawrwydd am eiliadau hir.

'Iawn,' medda fo o'r diwedd. A dyma fo'n clirio'i wddf yn annifyr. 'Mi fydd yn rhaid imi ddŵad â Mandy hefo mi, ysti.'

'Be?'

Roedd fy llais i'n sgrech.

'Newydd gyrraedd mae hi, a fedra i ddim ei gadael ar ei phen ei hun.'

'Mae dy fam yna,' meddwn i gan drio 'ngorau bod yn rhesymol.

'Cyfarfod Merched y Wawr ganddi.'

Siwgr gwyn! Roeddwn i bron â'i dagu tros y ffôn. Am ddŵad â Mandy hefo fo a ninnau newydd ailafael yn gariadon. Tri yn lle dau!

Mi geisiais edrych ar bethau o'i safbwynt o. Doeddwn i ddim eisio ymddangos yn hyll o eiddigus, er fy mod i'n ffrwtian fel tegell berwi trosodd tu mewn. Meddwl amdanyn nhw'n trafaelio ochr yn ochr ar y bws. Mandy'n rhannu ein sgwrs ni ar y stryd, a gwaeth fyth y hi'n cael cwmni Derec Wyn bob gyda'r nos *am ddeufis*!

Mi lyncais boer penderfynol. Bachgen hynod o fanesol oedd Derec Wyn a doedd o ddim yn fanesol i adael rhywun a oedd newydd gyrraedd ar ei phen ei hun.

'Iawn, 'ta,' meddwn i'n wantan. 'Mi wela i di wrth y cloc tua dau.'

Mi bwysais ar y wal wedi rhoi'r ffôn i lawr, a fy meddwl i'n drobwll gwenfflam. Dydi bywyd ddim yn deg. Byth yn deg i mi!

Mi ganodd y ffôn eilwaith. Derec Wyn eto, meddyliais yn syth. Wedi ailfeddwl, ac am ddŵad ar ei ben ei hun i'r dre ac wfft i Mandy Webb.

Mi afaelais ynddo fel petawn i ar fin boddi.

'Hylo, De . . .'

Llais Rhun! Wedi ffonio i'm hatgoffa am y ddau gyfarfod y penwythnos yma. 'Y Werin yn erbyn Datblygiad Estron'—tai ha a ballu, a 'Mudiad Cadwraeth Llwybrau'. Mae Rhun a'i fys ym mhotes pawb, ac am fynnu dodi fy mys inna yn eu potes nhw hefyd.

'Dŵad, dwyt?' medda fo'n eiddgar. 'Mae'n amser sefyll yn gadarn, Gwenno, a dangos be mae ieuenctid y wlad 'ma yn ei feddwl.'

Wel, rydw i'n credu mewn lot o'r un pethau fy hun, ond maen nhw'n pylu mewn pwysigrwydd braidd yn erbyn fy ngharwriaeth hefo Derec Wyn. Fedra i ddim rhoi fy holl sylw i bopeth ar unwaith.

'Ga i weld,' meddwn i'n llugoer reit.

Mae Rhun yn mynd tros ben llestri lle mae achosion da yn y fantol. Mi ddaru mi gerdded *deng milltir* hefo fo cyn y Nadolig at achos 'Plant mewn Angen'. Nid fy mod i'n gwarafun y fath ymdrech, ond fy mod i bron wedi trengi yn y farathon. Mi fu'n tywallt y glaw, a phan orffennais i'r filltir olaf, roedd pob cymal imi'n grwgnach os symudwn i iotyn. Ond roedd Rhun fel cyw iâr undydd, yn sboncio o gwmpas a pharablu'n ddiddiwedd am pa mor braf oedd bod hefo hogan oedd yn mwynhau 'run pethau â fo, un a oedd yn cymryd diddordeb yn y pethau pwysig—y pethau oedd yn *cyfri*!

Wel, yr unig beth oedd yn cyfri i mi y funud honno oedd cyfarfod Derec Wyn yn y dre a gofalu na châi Mandy Webb roi'i chrafangau ynddo fo.

'Ond, mi ddywedaist . . .'

Roedd môr o siom yn llais Rhun, ac rydw inna'n hynod o galon-feddal.

'Iawn, 'ta. Mi ddo i, os y medra i,' meddwn i.

'Mi ffonia i di eto,' medda fo.

Yna pan oeddwn i ar fin rhoi'r ffôn i lawr, dyma fo'n clirio'i wddf ac yn gofyn . . .

'Ymm . . . Wela i di cyn hynny?' holodd yn obeithiol.

'Go brin,' meddwn i'n bendant. 'Mae cant a mil o bethau i'w gwneud yn y lle 'ma.'

'O,' medda fo'n siomiant i gyd.

Rhaid bod yn gadarn weithiau. Ac er fy mod i'n ailddechrau gweithio yn siop mam Rhun dydd Sadwrn, dydw i ddim am godi'i obeithion. Derec Wyn sy'n bwysig rŵan.

Mi wisgais fy jîns gorau a fy siaced ledr i fynd i'r dre. Doeddwn i ddim yn edrych yn rhy ddrwg, meddyliais, wedi imi daro llygaid pur feirniadol arnaf fy hun yn y drych, a chwythu cwmwl o anadl tuag ato fo wedyn a cheisio ei arogli rhag ofn bod gwynt bethma gen i.

'Mynd rŵan,' galwais gan anelu am y drws.

'Iawn,' meddai Mam yn ddigon llipa o gyfeiriad y lolfa.

Manteisio ar y cyfle i gael pum munud fach tra oedd Rhodri'n cysgu roedd hi. Dydi hi'n cael fawr o lonydd hefo'r busnes dannedd 'ma. Ac am eiliad, roedd gen i dipyn o gywilydd ohonof fy hun wrth feddwl fy mod i'n jolihoitian (chwedl Nain) i'r dre, a'i gadael ar ei phen ei hun hefo babi mor dyrfus. Ond bywyd ydi bywyd, 'tê? Ac os ydych chi'n mynnu cael babi yn eich henaint, rhaid derbyn y canlyniadau.

Mi gyrhaeddais at y cloc a'm gwynt yn fy nwrn. Roedd hi'n bum munud wedi dau, ond doedd 'na ddim golwg o Derec Wyn a Mandy. Mi wasgodd 'na law oer am fy nghalon am eiliad, wrth imi ddychmygu'u bod nhw wedi'i gwadnu hi i rywle, ac wedi anghofio amdana i.

Roeddwn i'n sefyll yno fel adyn pan ddaeth Gwen yn wên ffals i gyd.

'Heia, Gwenno,' medda hi. 'Wyt ti rioed yn disgwyl Derec Wyn?'

'Pam lai?' holais yn siort. 'Ddim yn erbyn y gyfraith, nac ydi?'

'Ond . . .'

A dyma hi'n smalio brathu'i gwefus a ddim am ddatgelu newyddion drwg.

'Be?' meddwn i gan deimlo fel rhoi cic go egr iddi.

'Wel, dim ond 'i fod o a Mandy Webb yn llawia ofnadwy wrth ffenestr y siop gyfrifiaduron. Roeddet ti *yn* gwybod ei bod hi yma, debyg?'

'Oeddwn, siŵr,' meddwn i. 'Disgwyl y ddau ohonyn nhw rŵan.'

'O,' meddai hi'n siom i gyd.

Mi wenais yn glên arni a smalio nad oedd gen i boen yn y byd. Ac yna mi wenais fwy byth. Roedd Iwan yn dŵad amdanon ni.

'Iwan!' meddwn i a smalio fy mod i wedi gwirioni amdano fo.

A dydi Iwan ddim yn un i fethu'i gyfle.

'Gwenno!' medda fo. ''Nghaa-aa-riad i!'

Roedd llygaid Gwen fel soseri, yn enwedig pan roes Iwan ei fraich amdana i a'm gwasgu ato.

Rhyw ogrwn dipyn bach wnes i a theimlo bod Iwan yn mynd â phethau dipyn yn rhy bell. Doedd dim eisio fy llabyddio â ffug-gariad, nac oedd?

Ond roedd wyneb Gwen yn werth ei weld, yn enwedig pan sylweddolodd hi pa mor olygus oedd Iwan.

'Disgwyl amdana i?' holodd Iwan mewn llais secsi.

'Na—Derec Wyn, yr het,' meddwn i'n reit bigog, a cheisio dadgysylltu fy hun.

'O,' meddai fo'n siomedig i gyd. 'A finna'n meddwl . . . ar ôl y parti diwetha 'na . . .'

Roedd llygaid Gwen yn prysur lyncu'i hwyneb.

'Chi'ch dau'n ffrindiau?' medda hi mewn llais gwan.

'Siŵr iawn,' meddai Iwan. '*Ffrindiau mawr*!'

A dyma fo'n gwneud llygaid bach arna i a chilwenu'n gyfoglyd.

Roedd Gwen wedi'i gludio i'r llawr bron. Roedd hi'n sbio ar Iwan, ac yn sbio arna i, a'i cheg yn agor a chau fel pysgodyn aur.

Wel, roeddwn i'n dechrau cael llond bol ar y siarad, ac ofn yn fy nghalon i Derec Wyn gyrraedd hefyd. Yn enwedig os oedd Iwan am fynnu bihafio mor wirion.

'Waeth iti fynd rŵan ddim,' meddwn i gan geisio gwneud llais dim ots.

Roeddwn i'n cadw un llygaid ar y stryd hefyd. Disgwyl gweld Derec Wyn a'i gysgod (Mandy Webb) yn dŵad.

'Dim brys,' medda Iwan yn gyffyrddus. 'A sut mae dy Nain?'

'Yn ôl yn y cartref nes gorffen yr estyniad,' meddwn i.

'Mi ddo i i'w gweld ddiwedd yr wythnos,' meddai Iwan.

'Nabod Nain Gwenno?' holodd Gwen yn benderfynol o roi ei phig i mewn.

Roedd hi'n closio at Iwan ac yn sbio'n ddeniadol i'w wyneb.

Ac er nad oeddwn i fawr o eisio Iwan fy hun, doeddwn i ddim am ei gynnig o ar blât i Gwen chwaith. Rydw i'n hunanol reit lle mae bechgyn yn y cwestiwn. Ac mi afaelais yn ei fraich rhag ofn iddo dderbyn y cynnig yn ei llygaid.

Ac wrth gwrs, fe gyrhaeddodd Derec Wyn a Mandy Webb.

'*Gwenno!*' meddai honno fel petawn i'n ffrind gorau iddi. '*How lovely to see you. I've been so looking forward. So much to tell you. Hello, everybody,*' meddai hi wedyn yn glên.

Mi frathais fy ngwefus yn reit ddigalon. Roeddwn i bron â llyncu'n nhafod o eiddigedd. Ond be wnawn i? Roedd hi'n aros yn nhŷ Derec Wyn am fisoedd!

Roedd Derec Wyn yn ciledrych yn ddrwgdybus iawn ar Iwan. Hwrê! Efallai'i fod o'n cofio'r adeg honno pan oeddwn i'n aros yn nhŷ Nain ac yntau'n mynnu dŵad â Mandy Webb hefo fo—a finna'n gacwn gorn ac yn smalio 'mod i'n ffrindiau *mawr* hefo Iwan.

Mi glosiodd Derec Wyn at fy ochr fel roedden ni i gyd yn siarad—ac mi glosiodd Iwan at yr ochr arall. Roeddwn i fel cig mewn brechdan! Ond fedrwn i ddim peidio â gwenu wrth weld wyneb Gwen. Roedd hi'n disgwyl ffrwydrad unrhyw eiliad!

Ond ei siomi gafodd hi. Mi gyrhaeddodd Siw a Prysor o rywle, ac erbyn i Siw gyfarch Iwan, a rhoi ar ddallt i bawb ei bod hithau'n llawia hefo fo hefyd, roedd Gwen wedi drysu'n lân.

Ac mi aethon ni i gyd yn griw i Wimpy's a chael coffi a hambyrger a siarad pymtheg yn y dwsin—hyd yn oed Gwen. A chafodd Derec Wyn a finna ddim eiliad i ni ein hunain. Mae bywyd yn andros o siom!

Rydw i ar fy mhen yn yr hen rigol eto. Ysgol! Wn i ddim pam mae angen iddyn nhw stwffio gwybodaeth hollol ddiangen i ben rhywun, a ninnau byth am ei ddefnyddio fo.

Mae Wati Welsh yn paldaruo am feirdd ac awduron blaenllaw'r genedl, ac am pa mor bwysig ydi inni eu darllen nhw, a dysgu eu *mwynhau*, a gweld sut maen nhw'n darlunio problemau'u cyfnod a ballu.

A does ond eisio cerdded i lawr y coridor, nad ydi Robin Goch yn paldaruo 'run peth yn union am feirdd ac awduron Saesneg, ac am pa mor bwysig ydi inni eu darllen hwythau, a dysgu eu mwynhau nhw—a gweld sut mae'r rheiny hefyd yn darlunio problemau'u cyfnod.

Rydw i wedi penderfynu rhoi plygiau yn fy nghlustiau. Mae *pawb* yn paldaruo o fy nghwmpas i. Nid yn unig fy athrawon, ond Mam a Dad hefyd. Rhaid iti dorchi dy lewys, Gwenno, a gweithio. (Be arall ydw i'n ei wneud gartre, a hynny ddydd a nos!) Mae dy addysg di'n bwysig. Efallai y byddi di eisio mynd i'r coleg, a bod yn athrawes, neu . . . neu . . .! Ac yna maen nhw'n cau eu cegau, achos maen nhw'n gwybod nad oes gen i obadeia beth ydw i am ei wneud yn y dyfodol. Athrawes? Na. Plismonas? Na. Ysgrifenyddes? Na. Peiriannydd Sifil? Fawr o awydd!

Ond beth sydd ar ôl i eneth hefo sbectol? Rhywbeth andros o glyfar ac uchelgeisiol. Ond beth?

Mae Mandy Webb fel fy nghysgod i yn yr ysgol.

'*So nice to be back here, and see friends again,*' medda hi'n wên i gyd. (Nid unwaith, ond ganwaith!)

'*Isn't it!*' meddwn inna a'r geiriau'n fy nhagu.

'Dysgu Cymraeg—dipyn bach,' medda hi.

Mi ddisgynnodd fy ngên. Dysgu Cymraeg! Y hi?

'*Derec Wyn is teaching me,*' meddai hi. '*So interesting—to learn another language.*'

Mi fetia i, meddwn i wrthyf fy hun. Cyfle arall i fod geg yn geg hefo Derec Wyn. Snichan! Mi fedrwn i'i gweld hi'n hongian o'i gwmpas ac yn llyfu'r geiriau o'i enau bron, a hynny trwy'r gyda'r nos. A finna, druan bach, ar fy mhen fy hun yn sgifio'n nhraed yn stympiau. Pam nad aiff hi i ddysgu iaith rhyw wlad bell fel Tibet neu Mongolia? Rhywle sy'n anodd mynd yno—ac yn anos fyth dŵad oddi yno!

‘Wn i ddim sut rwyt ti’n ’i diodda hi,’ medda Siw. ‘Ar dy ôl di bob munud.’

‘Ddim hanner cymaint ag y mae hi ar ôl Derec Wyn,’ meddwn i’n ddigalon. ‘Ei diodda hi fydd yn rhaid imi.’

‘Hogyn un ferch ydi Prysor—diolch byth,’ medda Siw, a golwg cath yn llyfu hufen ar ei hwyneb.

‘Does dim angen i tithau rwbio’r ffaith i mewn,’ meddwn i’n sych. ‘Dydi pawb ddim mor lwcus.’

‘Nac ydyn, yn nac ydyn,’ meddai Siw.

Mae hi’n anodd diodda ffrind gorau weithiau, ac yn anoddach byth diodda Mandy Webb.

‘Wela i di fory,’ medda Derec Wyn yn ystod yr unig funud gawson ni hefo’n gilydd wrth gychwyn adre.

A dyma fo’n rhoi winc fach neis arna i, cyn troi am ei fws ei hun—a Mandy Webb wrth ei ochr.

Wel, ffadin gorn (neu eiriau tebyg ond cryfach), meddwn i’n fflamgoch wrthyf fy hun. Faint rhagor sy’n rhaid imi ei ddiodda?

Mi gyrhaeddais adre wedi ymlâdd. Mae o’n cymryd dewrder o’r mwya i ymddangos yn wên-deg a bodlon pan mae’ch byd cariadol chi’n prysur falurio’n deilchion.

Doeddwn i ond wedi rhoi *un* droed trwy’r drws nad oedd mam yn galw.

‘Y chdi sy ’na, Gwenno?’

Wel, pwy gebyst arall, meddwn i wrthyf fy hun. Dyn y Loteri Cenedlaethol yn danfon miliwn?

‘Tyrd i warchod Rhodri tra bydda i’n picio i swyddfa’r post,’ medda hi. ‘A dechreua ar y tatws imi, wnei di?’

Mi gerddais yn benisel i’r gegin. Mi fuasech yn tybio y buasai Mam yn gweld golwg ddigalon arna i’n syth, ac yn holi’n deimladwy beth oedd yn bod. Ond na. Dydi hi ddim yn gweld ymhellach na’i thrwyn—

neu Rhodri i fod yn hollol gywir. Mae hwnnw'n rheoli'r tŷ 'ma. Ac mi fuasai'n rheoli codiad yr haul hefyd, tasa fo'n medru.

'O, ôl reit,' meddwn i'n reit surbwch.

'Fydda i ddim yn hir,' medda hi heb sbio arna i bron. 'Rhodri newydd fynd i gysgu.'

Diolch byth, meddwn i wrthyf fy hun. Mi eisteddais wrth fwrdd y gegin a m„g o goffi yn fy llaw, ac wfft i'r plicio tatws. Rhaid iti ddysgu ymdopi, Gwenno Jones, penderfynais. A wynebu'r ffaith gadarn bod Mandy Webb yn rhannu'r un tŷ â Derec Wyn—ac yn rhannu'r un diddordebau hefyd. Y cyfrifiaduron felltith 'na.

Ac yno'n pendroni roeddwn i pan ddaeth Mam yn ôl o'r post.

'Wyt ti *byth* wedi dechrau ar y tatws?' holodd yn feirniadol reit. 'Fedra i ddim gofyn iti wneud dim yn y lle 'ma.'

Dyna beth ydi annheg, yntê? A finna'n sgifio'n ddirwgnach (pwy ydw i'n trio'i dwyllo?) o un pen wythnos i'r llall.

Roedd yna leisiau a thraed swnllyd wrth ddrws y cefn. Mi ffrwydrodd ar agor fel y daeth Llŷr i mewn.

'Garmon a fi'n mynd i gicio pêl,' cyhoeddodd ar dop ei lais. 'Ga i frechdan?'

Mi gaeodd Mam ei llygaid fel tasa popeth yn ormod iddi.

'Gwna un iddo fo,' meddai hi mewn llais gwan, gwan. 'Caws yn yr oergell.'

'Pam na fedrith o wneud un ei hun?' meddwn i'n ffromllyd. 'Digon o fara sleis. Nid morwyn bach iddo *fo* ydw i.'

'Mam! Mae Gwenno'n cau gwneud brechdan imi. Ac rydw i eisio *bwyd*,' medda'r gwalch yn dorcalonnus.

A dyma'r diafol mewn croen yn anelu cic ddirgel

ata i a ’nharo yn fy ffêr. Wel, roedd pwysau diwrnod annioddefol arna i’n barod, ac mi gollais fy limpin yn syth.

‘Y cranci ddiawl!’ gwaeddais gan ymaflyd ynddo a’i ysgwyd fel pluen. ‘Hwda!’

A dyma fi’n rhoi cic yr un mor egr yn ôl iddo.

‘MAM!’

Roedd o’n gweiddi ac igian fel taswn i’n trio’i ladd. Ac wrth gwrs mi fu’n rhaid i Rhodri gael deffro hefyd, a thynnu’r lle i lawr. Mi fuasech yn tybio bod ganddo gegaid o ddannedd yn torri trwodd hefo’i gilydd.

Roeddwn i’n disgwyl i Mam ffrwydro a rhuthro i’w godi. Ond eistedd yno’n syfrdan ddaru hi. Ac yna, dyma hi’n rhoi ei breichiau ar y bwrdd ac yn claddu ei hwyneb ynddyn nhw heb ddweud gair.

Mi edrychodd Llŷr a minnau yr un mor syfrdan ar ein gilydd ac mi ddisgynnodd distawrwydd llethol ar y gegin.

‘Ydi Mam yn sâl?’ holodd Llŷr a’i wefusau’n crynu.

‘Hwda—a dos allan,’ meddwn i gan estyn y dorth sleis a slapio caws rhwng dwy sleisen a’u stwffio i’w law. ‘Rŵan!’

‘Ond rydw i eisio sôs coch . . .’ medda fo’n ddagreuol.

‘Allan,’ meddwn i’n feistrolgar.

Ac yna, dyma fi’n gwneud mygaid o goffi i mam a’i drawo fo ar y bwrdd.

‘Yfwch hwnna,’ gorchmynnais cyn rhuthro am y lolfa i godi’r lwmpyn swnllyd o’r goits.

Mi gaeodd ei geg am eiliad wrth weld fy sbectol mor agos, a chyn iddo gael cyfle i ailddechrau roeddwn i wedi stwffio’r dymi i’w geg ac wedi taranu i fyny’r grisiau i newid clwt drewllyd, ac i dywallt llwyaid o Calpol i lawr ei gorn gwddf.

A Haleliwia! Wedi'r driniaeth, mi wenodd yn braf arna i a gafael fel gelen yn fy mys.

'Yli,' meddwn i'n rhesymol uwch ei ben. 'Cau di dy geg yn lle gweiddi, ac mi gei fwy o sylw gen inna. Bargen?'

Mi fuaswn yn taeru ei fod o wedi dallt pob gair. Mi wenodd yn angylaidd eto a gyrglio rhywbeth yn nhu ôl ei wdddf—O.K. am wn i, a Haleliwia ganwaith, mi orweddodd yn ddistaw wedi imi ei roi'n ôl a throi'r radio 'mlaen yn gwmni iddo.

'Bargen ydi bargen, cofia,' meddwn i, cyn troi i wynebu'r argyfwng yn y gegin.

Roedd Mam yn eistedd yn synfyfyriol wrth y bwrdd ac yn edrych i ryw bellter pell.

'Iawn, rŵan?' meddwn i gan ymaflyd yn y sosban datw.

Doedd waeth imi sgifio a thrwsio teimladau 'run pryd ddim.

'Ydw.'

Roedd ei hateb yn un ochenaid hir.

'Mi ddaw pethau'n well fel y tyfith Rhodri,' meddwn i'n gysurlawn.

Gweithwraig Gymdeithasol ydw i am fod. Llawn o gydymdeimlad a chynghorion, tydw?

'Y ffraeo a'r crio 'ma yn fy lladd i,' meddai hi'n benisel. 'Rydw i'n rhy hen i gael babi a phlant cecrus.'

Mi frathais fy nhafod rhag egluro gwirionedd bywyd iddi. Nid fy mai i oedd blerwch cael babi pan ddylai rhieni wybod yn well, ac nid fy mai i oedd bod Llŷr yn ddiafol bach mewn croen chwaith, ac wedi'i sbwylio'n rhacs. Ac os na fydden nhw'n ofalus, mi fyddai Rhodri'n union 'run fath.

'Mi ddylai pawb yn y tŷ 'ma helpu,' meddwn i. 'Llŷr a Dad a phawb.'

'Dylai, debyg,' meddai hi'n wantan.

Ond mi fedrwn weld nad oedd llawer o argyhoeddiad yn ei llais. Mi eisteddodd yno'n llymeitian coffi oer ac yn synfyfyrio tra oeddwn inna'n paratoi cinio. Y tatw, y golwython, y moron—popeth!

Does dim diwedd ar bwysau bywyd yn y lle 'ma. A Gwenno Jones sy'n ysgwyddo'r cyfan!

Mi aeth Dad a finna i'r cartre i weld Nain gyda'r nos.

'Ac mi ddoist, Myrddin?' meddai hi a'i lygadu o'i ben i'w draed.

'A finna, Nain,' meddwn i rhag ofn ei bod hi'n rhy brysur yn beirniadu Dad i sylwi arna i.

'Mi wela,' medda hi'n reit siort.

'A sut ydach chi, Mam?' holodd Dad.

Rydw i'n siŵr ei fod o'n croesi'i fysedd wrth ofyn. Ac wrth gwrs, mi agorodd y llifddorau.

'Mi fuaswn i'n well tasa honna ddim yma,' meddai Nain gan chwifio'i ffon i gyfeiriad Magi Tŷ Isa. 'Meddwl 'mod i am gowtowio fel hogan ysgol. Wedi cael ei ffordd ei hun mae hi erioed, a heb arfer plygu i'r drefn.'

Does neb wedi cael ei ffordd ei hun fwy na Nain!

'Ia, ond Mam,' medda Dad, 'rydach chi'n adnabod eich gilydd erioed.'

'Ydan—gwaetha'r modd,' oedd ateb brathog Nain.

'A dydi'r cywion nyrsys 'ma fawr gwell,' meddai hi. 'Dim eiliad o lonydd i'w gael ganddyn nhw. Eisteddwch fan 'ma, bwytwch fan 'ma, cysgwch fan 'ma bob yn ail eiliad. A 'ngalw fi'n Jane. Rhyw bethau ifanc fel 'na, newydd ddŵad o'u clytiau.'

Dew! Mi fedrwn weld ei bod hi'n codi stêm!

'Ia, wel. Gwneud eu gorau maen nhw,' cychwynnodd Dad yn gloff.

Ac mi gododd yn reit ffrwcslyd.

'Mi a' i i gael gair hefo'r metron,' medda fo.

'Ia—dos di,' meddai Nain. 'A dweud wrthi fy mod i'n mynd adra fory nesa.'

Mi fedrwn weld y gwrid yn codi ar wyneb Dad. Roedd yn amser i minnau roi fy mhig i mewn, mi allwn weld.

'Brafiach yn fan 'ma nes bydd yr estyniad wedi'i orffen, Nain,' meddwn i'n rhesymol. 'Cynnes, a bwyd wedi'i baratoi ichi—cwmpeini hefyd.'

'Dydw i ddim na fedra i ymorol trosof fy hun,' medda Nain yn siort. 'Ac efo pwy rwyt ti'n ochri? Y fi, 'ta nhw?'

Wel, wyddwn i ddim pa nhw roedd hi'n ei feddwl. Dad a Mam, 'ta'r nyrsys. Mi wenais yn glên arni.

'Cadw'r ddysgl yn wastad rydw i, Nain,' meddwn i a rhoi winc arni.

Mi edrychodd arna i am eiliad cyn gwenu'n gynnil.

'Tynnu ar ôl dy daid,' medda hi'n fodlon. 'Byw'n glên hefo pawb, ond ddim am fynd o dan draed chwaith.'

A dyma hi'n eistedd yn ôl yn ei chadair a dechrau holi.

'A sut ma'r hogyn cariad 'na sy gen ti'n bihafio?'

'Iawn, Nain,' meddwn i'n reit benisel.

'Dwyt ti ddim yn swnio'n siŵr iawn o dy bethau,' sylwodd Nain.

'Mandy Webb sy'n ôl,' meddwn i'n foel. 'Aros yn nhŷ Derec Wyn.'

'Ooo!' meddai Nain gan ystyried pethau.

'Be fasach chi'n ei wneud, Nain?' holais.

'Dal fy ngafael ynddo fo, siŵr iawn,' medda Nain.

'Ond sut?'

'Glynu fel gelen—ond eto dangos iddo fo bod 'na bysgod eraill yn y môr,' meddai Nain.

A dyma hi'n ciledrych arna i.

'Iwan, er enghraifft,' meddai hi.

Iwan! Ond doeddwn i ddim eisio Iwan, yn nac oeddwn? Derec Wyn oedd fy nghariad i. Er, roeddwn i'n falch bod Iwan yn dal i droi o 'nghwmpas i hefyd. Yn enwedig a finna hefo sbectol! Sbectol ddim yn secsi, nac ydi? Ond mae lensys cyffwrdd· yn costio ffortiwn, medda Dad. A dim gobaith fforddio rhai!

Ac yna mi ddaeth Dad yn ei ôl. Mi sythodd Nain yn filwriaethus ar unwaith.

'Ac mi ddeudist wrthi hi, debyg?' meddai hi.

'Wel . . .' medda Dad yn gloff.

'Fory nesa,' medda Nain. 'Siawns na fedr rhywun gynnau tân yn Nhawelfa. Gan nad ydi'r estyniad yn barod,' medda hi'n awgrymog.

'Ond mae Tawelfa yn nwylo'r gwerthwyr, Mam,' meddai Dad. 'Aros yma ydi'r gorau ichi nes bydd y gweithwyr wedi gorffen yr estyniad.'

'A pha bryd fydd hynny?' holodd Nain yn bigog. 'Wedi llyncu hynny o arian banc sy gen i'n barod. Dydyn nhw'n gwneud dim ond llaesu dwylo. Mae eisio rhywun i gadw llygaid barcud arnyn nhw.'

Ochneidio ddaru Dad a chodi i fynd adre. Fedrwn i ddim peidio â thosturio wrtho. Mae Nain yn gebyst o anodd ei thrin. Ond roeddwn i'n tosturio dipyn bach wrth Nain hefyd, er ei bod hi eisio ei ffordd ei hun. Roedd yn amlwg nad oedd hi'n licio yn y cartre, a phan mae Nain wedi penderfynu, mae eisio byddin i'w throi.

'Wela i chi,' meddwn i a phlygu i roi cusan iddi.

Mi gerddodd Dad a finna'n reit ddistaw i'r car.

'Wn i ddim beth i'w wneud wir,' meddai Dad yn ochneidiol wrth eistedd o flaen y llyw. 'Tasa hi'n aros am bythefnos arall . . .'

Roeddwn i'n gweld y byddai 'na bwyllgor crasboeth i ddau wedi cyrraedd adre. Dad yn methu â gwybod beth i'w wneud, a Mam yn deddfu nad oedd Nain i roi troed yn ein tŷ ni nes y byddai'r estyniad wedi'i orffen.

Roeddwn i'n iawn, doeddwn! Mi gaeodd y ddau eu hunain yn y lolfa, ac roeddwn i'n clywed sŵn dadlau'n codi a gostwng oddi yno. Druan o Nain! Tawelfa, neu aros yn y Cartre fydd hi.

Ond mi gefais i syrpreis pan ddaethon nhw allan. Roedd golwg wedi'i threchu ar Mam, a wyneb 'be wna i' ar Dad.

'Rhaid iti symud i'r landin eto,' cyhoeddodd Mam.

Mi gododd fy llais yn sgrech.

'I'r landin? Y fi? Ond mae llwch ym mhobman!'

'Dim mwy nag i bawb arall,' meddai Mam yn swta.

A dyma hi'n diflannu i'r gegin a chau'r drws yn glep ar ei hôl.

'Ond, Dad. Fedra i ddim,' meddwn i'n dorcalonnus.

Roedd gen i dipyn bach o gywilydd ohonof fy hun hefyd. Y fi fu'n pitio tros Nain ac yn gweld bai arnyn nhw, 'tê? Ond does gen i ddim eisio cysgu ar y landin eto. Byth!

'Rhaid gwneud y gorau o'r gwaethaf,' cysurodd Dad. 'A fedrwn ni ddim gadael i Nain fynd yn ôl i Tawelfa. Mae'r tŷ yn damp ac oer a neb wedi bod ynddo ers wythnosau.'

Roeddwn i'n dalp o styfnigrwydd. Pam roedd yn rhaid i *mi* symud? Beth am i Llŷr roi ei lofft i Nain? Y fi oedd yn gorfod symud bob tro. Ond pan ddaru mi grybwyll hynny wrth Dad, chefais i ddim gwrandawiad.

'Dy lofft di ydi'r orau iddi, a dyna ddiwedd ar y peth,' medda fo a throi'n ôl am y lolfa.

Wel, mi garlamais fel taran am y gegin, yn barod i ddadlau 'mhwynt i'r eitha. Ond mi gaeais fy ngheg yn glep wrth weld Mam yn sefyll ger y sinc yn plygu ac ailblygu y lliain sychu llestri, ac yn sbio ar ddim.

'Mam?' mentrais.

Wnaeth hi ddim troi ei phen, ddim ond troi'r tap ymlaen a rhoi'r lliain sychu'n wlych yn y basn, a'i droi a'i droi hefo'i bysedd. Ac roeddwn i'n gwybod nad oedd angen ei socian, a finnau wedi'i estyn yn lân amser cinio heno.

'Mam!' meddwn i wedyn. 'Be sy?'

Ochneidio ddaru hi ac ysgwyd ei phen.

'Dim byd,' meddai hi'n ddistaw.

'Nain?' holais.

'Ia,' medda hi'n isel. 'A phopeth arall, am wn i. Dydw i ddim yn medru ymdopi fel y byddwn i. Ddim ers geni Rhodri.'

'Babi swnllyd yn ypsetio pawb,' deddfais fel un a wyddai am beth roedd hi'n siarad.

A dyna ddeudais i wrth Siw ar y bws drannoeth hefyd.

'Rhaid ei ddysgu fo i fihafio'n well,' meddwn i. 'Mae'r straen yn ormod i Mam.'

'Ond *babi* ydi o,' meddai Siw.

'Pam mae rhai'n crio a'r lleill ddim?' holais. 'Mae'n rhaid fod yna rywbeth fedr rhywun ei wneud.'

'A pheth arall,' meddwn i gan dwymo iddi. 'Mi fydda i ar y landin eto. Yn cysgu yng nghanol y llwch!'

'Sgribliwns! Pam?' holodd Siw yn ddiddordeb i gyd.

'Nain,' medda fi fel petai hynny'n ddigon o eglurhad.

'Ond mae hi mewn cartref,' meddai Siw. 'I ddisgwyl i'r estyniad . . .'

'Magi Tŷ Isa ydi'r drwg,' eglurais.

'Pwy ydi honno?' holodd Siw yn gegagored.

'Hen elyn i Nain. Ac mae hi yn y cartre,' meddwn i. 'Nerfau'r nyrsys yn rhacs wrth drio cadw trefn.'

'Rioed!' meddai Siw. 'Be mae'r ddwy yn ei wneud.'

'Ffraeo,' meddwn i'n foel.

Roedd Derec Wyn yn fy nisgwyl ar yr iard.

'Mandy ddim yn dŵad heddiw,' medda fo. 'Wedi mynd hefo'i thad.'

'O,' meddwn i'n reit ddidaro.

Wel, roedd gen i ddigon ar fy meddwl, doedd?

'Mi awn ni i lawr i'r dre amser cinio,' medda fo. 'Jest y chdi a fi.'

'Iawn,' meddwn i a 'meddwl i ymhell.

'Mi fedret ddangos mwy o ddiddordeb,' medda fo'n friwiedig ei deimladau.

'O . . . ia. Iawn,' meddwn i wedyn.

Ac yna dyma fi'n deffro i'r posibiliadau. Awr ginio gyfan yng nghwmni Derec Wyn!

'Grêt!' meddwn i ac ymaflyd yn ei fraich.

Gwenu'n glên arna i ddaru fo, wedi iddo gael dipyn bach o sylw. Mae eisio trin bechgyn fel wyau wedi cracio. Gair croes, a dyna nhw'n deilchion!

Pan ganodd y gloch ginio, mi ffarweliais â Siw ar ras wyllt a'i gwadnu hi am y fynedfa. Roedd Derec Wyn yn disgwyl.

'Barod?' medda fo'n reit gariadus a thynnu'i docyn pas o'i boced.

'Siŵr,' meddwn i'n hapus gan balfalu am fy nhocyn inna.

Doedd o ddim gen i!

'Rydw i wedi colli 'nhocyn,' meddwn i'n llawn braw.

Ac yna mi gofiais!

'Ar y bwrdd gwisgo yn fy llofft,' meddwn i'n dorcalonnus. 'Wedi'i adael o yno bore 'ma.'

'Wyt ti'n siŵr?' holodd Derec Wyn. 'Chei di ddim mynd allan hebddo.'

Ac roedd o'n dweud y gwir hefyd. Rhyw fis yn ôl, mi gafodd y prifathro un o'i stormydd ymennydd achlysurol, a phenderfynu nad oedd neb i fynd lawr dre heb docyn. Ac er imi fynd ar fy llw bod gen i un gartre, wrandawodd y ddynes oedd ar wyliadwriaeth wrth y giât ar yr un gair.

'Dim tocyn, dim mynd trwodd,' meddai hi'n bendant.

'Sut buost ti mor flêr?' gofynnodd Derec Wyn.

Wel, mi fu bron imi â ffrwydro. Be wyddai fo am densiynau ein tŷ ni? Mam yn flinedig, Rhodri eisio sylw, Dad yn ddioddefus, Llŷr yn granci—a bygythiad Nain a'r gwely landin yn hunllef uwch fy mhen inna.

'Yli, does gen i mo'r help,' meddwn i'n grac.

'Roeddwn i am gael sglodion heddiw,' medda fo'n wgus.

'Beth am i ti bicio i'r siop tros ffordd?' meddwn i gan drio gwneud y gorau o'r gwaethaf.

'Dydi hynny ddim 'run fath, nac ydi?' medda fo'n dymherus braidd.

Roeddwn i wedi cael llond bol.

'Yli, os ydi dy sglodion di mor bwysig, dos i lawr dre i'w nôl nhw,' meddwn i.

A dyma fi'n troi ar fy sawdl ac yn ei gwadnu hi ar draws yr iard. Roedd yna fôr o ddagrau rywle tu ôl i'm llygaid i, ond doeddwn i ddim am ddangos fy mod i'n malio iotyn!

'Gwenno! Aros!' medda fo a brysio ar fy ôl i.

'Dim eisio pwdu, nac oes?' medda fo. 'Arnat ti mae'r bai.'

Roeddwn i ar fin rhoi blas fy nhafod iddo fo, pan ddaeth yna 'Cw-ii!' y tu ôl inni.

Mandy Webb!

'Be gythraul mae honna'n 'i wneud yma?' meddwn i'n ffyrnig. 'Mi ddeudaist ti ei bod hi i ffwrdd am y diwrnod.'

Chafodd Derec Wyn ddim cyfle i ateb. Roedd hi

wedi cyrraedd aton ni ac yn gwenu'n gyfeillgar gyfoglyd arna i.

'*Daddy had an urgent phone call as we drove to Manchester*,' meddai hi. '*I couldn't wait to get back.*'

I bet you couldn't, meddyliais yn chwerw. Does yna ddim munud preifat i ffraeo i'w gael yn y lle 'ma. Ac roedd fy nhu mewn i'n barod i ffrwydro unrhyw eiliad!

Roedd Derec Wyn yn edrych reit bethma. Fel tasa fo wedi laru ei gweld hi, ac yn dymuno ei hanfon i bellteroedd byd ar fyrder. Mi godais fy nghalon ychydig. Ond roedd popeth wedi'i sbwylio.

'*Are you having anything to eat?*' holodd Mandy gan afael yn fy mraich.

'*Maybe*,' meddwn i'n foel.

'*Good!* Fi . . . eisio . . . *let's see . . . umm I know* . . . bwyd?' medda hi gan sbio arna i fel petai hi'n disgwyl imi glapio 'nwylo.

Fedra i yn fy myw arfer hefo hi'n siarad dipyn o Gymraeg. Mae o'n groes i'r graen rywsut. Ac yn fy atgoffa mai Derec Wyn sy'n ei dysgu. Faint o sesiynau athro a dysgwr maen nhw'n eu mwynhau gyda'r nos? Ond doeddwn i ddim am ddangos fy nheimladau briw.

'*Very good, Mandy*,' meddwn i'n wên-deg. '*You're really learning. Must have a good teacher.*'

'*Derec Wyn's great*,' meddai hi. '*He tells me the correct Welsh words for everything. I'll get the hang of it soon.*'

Cymraeg mewn deufis! *Brainy*! Ond roeddwn i'n rhy ddigalon i fod yn bigog. Ac roeddwn i am wenu trwy bopeth tasa hynny'n fy *lladd* i! Yn enwedig pan welais i Gwen a Gwawr yn anelu amdanon ni.

'Roeddwn i'n meddwl bod chi'ch dau yn mynd lawr dre,' meddai Gwen.

'Newid planiau,' meddwn i'n siort.

'Biti,' meddai Gwen yn arwyddocaol ac edrych ar Mandy Webb.

'Dim ots,' meddwn i'n gry.

'*Shall we nip across the road, Gwenno?*' holodd Mandy Webb. '*I'll treat you and Derec Wyn.* Be ti eisio? *Crisps, or a filled roll?*'

'*Can't,*' meddwn i. '*Forgotten my pass.*'

'*Oh . . . poor you!* Hidia . . . befo! *I'll go with Derec Wyn.*'

Ac mi fuo'n rhaid imi wylio'r ddau'n cydgerdded yn glòs trwy'r giât a 'ngadael innau ar ôl yn sypyn fflamboeth ar yr iard.

'Ia . . . *poor you!*' meddai Gwen gan giglan. 'Ond . . . mi gei rôl yn rhad ac am ddim pan ddôn nhw'n ôl.'

Roedd fy llwnc i wedi tagu'n gorn! Ond gwenu fel cath Sir Gaer wnes i. Mae eisio calon ddewr i ddiodde anghyfiawnderau'r byd 'ma.

'Gafael ynddi,' gorchmynnodd Mam cyn gynted ag y cyrhaeddais adre.

'I wneud be?' holais yn surbwch.

Roeddwn i'n gwybod yn iawn, doeddwn?

'I roi'r gwely gwersyllu ar y landin,' meddai Mam. 'Chefais i ddim munud trwy'r dydd.'

'A beth am y llwch?' holais. 'Mi fydda i'n asthmatig wrth anadlu cymaint ohono fo, gewch chi weld. A be wna i wedyn? Fedra i ddim anelu am sawl gyrfa.'

'Mrs Jenkins wedi llnau y bore 'ma,' medda hi'n flinedig. 'A fuo 'na ddim sôn am yrfa ar dy enau di tan rŵan. Gwneud dim ond chwarae o gwmpas yn yr ysgol 'na, a dy ben yn y gwynt.'

Pa mor annheg y gall rhiant fod? Am ddewis gyrfa i'm siwtio roeddwn i, 'tê?

Mi ddringais y grisiau â'r byd ar fy ysgwyddau. Roedd y lle'n edrych yn well nag a feddyliais. Wel—

roedd yna lai o lwch. Ond landin ydi landin, ac roeddwn i wedi cael llond bol ar wely gwersyllu yn y gilan.

Mi stryffaglais i'w lusgo fo o'r cwpwrdd wal. Roeddwn i'n taenu'r cwilt trosto pan garlamodd Llŷr i fyny'r grisiau.

'Dew! Be wyt ti'n 'i wneud?' holodd a'i lygaid yn tyfu.

'Gwneud pwdin dolig a'i roi o yn ei wely,' meddwn i'n grac.

'Mae dweud celwydd yn bechod,' medda fo. 'Fydda i byth yn gwneud.'

'Fyddi di byth yn gorfod cysgu ar y landin chwaith,' meddwn i. 'Tan y tro yma.'

'Dydw i ddim yn gwneud rŵan chwaith,' medda fo'n ansicr. 'Yn nac ydw?'

'Os ca i fy ffordd—wyt,' meddwn i'n gryf.

Dyma'i wyneb o'n dechrau crebachu, a bloedd i ddeffro'r meirw yn dod o'i enau. (Does neb tebyg i Llŷr am grio, heblaw am y babi efallai!)

'MAM!' gwaeddodd. 'Does dim rhaid imi, nac oes?'

A dyma fo'n rhoi bloedd arall.

'Gwenno sy'n dweud celwydd, 'tê? Does dim rhaid imi.'

'Yli, cau dy geg,' meddwn i'n frysiog. 'Tynnu dy goes di roeddwn i, siŵr.'

'Wnest ti ddim gafael yn fy nghoes i,' medda fo gan wenu'n syth bin.

'Disgwyl fy nghyfle,' meddwn i a rhuthro i afael ynddo a'i daflu i gyfeiriad y gwely.

Ac wrth gwrs, mi fu'n rhaid i bwysau Llŷr a minnau ei ddymchwel i'r llawr yn daran anferth, ac mi floeddiodd Llŷr wedyn fel petawn i'n ei ladd o.

Mi redodd Mam i fyny'r grisiau ar yr union eiliad y deffrodd Rhodri yn ei got.

'Byddwch ddistaw,' gwaeddodd a'i hwyneb yn fflamgoch. 'Y funud 'ma.'

Ac yna mi syfrdanwyd Llŷr a minna wrth weld golwg bron â chrio arni.

'Mam!' meddwn i'n ansicr. 'Dach chi'n sâl?'

Roedd Llŷr wedi'i rewi yn ei unfan.

'Sŵn. Cecru. Ffraeo. Fedra i mo'i ddiodda fo,' cwynodd Mam a'i llais yn codi.

A dyma hi'n troi am y grisiau heb gymryd arni glywed Rhodri'n bloeddio yn y llofft.

'G-Gwenno!'

Roedd Llŷr yn crio o ddifri ar y landin a Rhodri'n uchel ei gloch yn y llofft.

Wyddwn i ddim lle i droi. P'run ai gadael Rhodri i floeddio'n biws yn ei got a rhuthro ar ôl Mam, 'ta cysuro Llŷr am ei fod o wedi dychryn go iawn wrth weld dagrau Mam, a ddim yn gwybod beth oedd yn digwydd.

'Mam wedi blino,' meddwn i gan sgrialu i godi Rhodri.

'Yli'r geg fawr,' meddwn i uwch ei ben. 'Un smic arall, ac ar dy ben yn y Cartre hefo Nain a Magi Tŷ Isa byddi di.'

Roedd yna ddigon o nyrsys profiadol yn fan'no i gadw trefn arno, doedd! Mae'n rhaid ei fod o wedi deall pob gair fygythiais i hefyd, achos y funud nesa roedd o'n gwenu'n ddel arna i ac yn chwifio'i freichiau fel melin wynt.

Mi edrychais arno'n hurt! Roedd o'n gwenu! *Arna i! Heb falio dim am fy sbectol na'i boen dannedd yntau.*

Roedd yna ryfel cartref yn cymryd lle y tu mewn imi. Doeddwn i ddim yn licio babis. Dim ffeiars! Yn enwedig pan roedden nhw'n cynadu nes achosi i rywun fwyta'i het—os oedd ganddyn nhw un! Ond . . .

Roedd o'n dal i wenu a chwifio'i ddwylo arna i. Ac

mi welais fod yn rhaid i minna wneud fy rhan yn y cyfeillgarwch newydd yma.

'A hogyn pwy wyt ti, 'ta?' meddwn i'n reit gariadus gan ei godi a'i ddal ar fy ysgwydd.

Mi fu bron imi â llyncu 'nhafod wrth glywed fy hun yn swnio'n union 'run fath â Siw! Ond wedi dechrau ar lwybr cyfeillgarwch, roeddwn i'n benderfynol o ganlyn ymlaen.

'Yli,' meddwn i. 'Mi gei orwedd ar garped y lolfa am eiliad, tra bydda i'n cysuro Mam.'

Dal i chwifio'i freichiau roedd o a gwneud sŵn bach yn ei wddf. Mi frysiais i'r lolfa a'i roi ar y carped—yn ddigon pell o bopeth peryglus. Ac roeddwn i ar fin carlamu am y gegin i weld sut roedd pethau yn y fan honno, pan chwifiodd ei freichiau eto a chicio ar ei ochr rywsut ac wedyn ar ei fol.

Siwgr gwyn! Roeddwn i wedi fy syfrdanu! Mi ailafaelais ynddo a'i osod yn ôl ar ei gefn.

'Aros fel'na,' gorchmynnais.

Ond mi chwifiodd y cena bach ei freichiau arna i, a'r eiliad nesa roedd o wedi troi ei hun trosodd eto. Babis! Mi anghofiais bopeth am Mam a'i theimladau briw yn y gegin a dechrau chwarae hefo Rhodri. Nid fy mod i'n meddalu tuag at fabis chwaith, ond fy mod i'n gwneud arbrawf diddorol. Efallai y buaswn i'n sgrifennu erthygl i un o'r papurau nyrsio 'na. *'Datblygiad plentyn yn ystod ei flwyddyn gyntaf. Astudiaeth fanwl arbenigwraig yn y maes!'* Mi fuasai dynion papur newydd yn ymladd eu ffordd i'r drws, ac yn galw am imi sefyll o flaen y camerâu a dweud gair neu ddau wrthyn nhw ar y pwnc. Mi fuaswn i'n enwog, ac yn ymddangos ar y cyfryngau yn rheolaidd. Ac mi fuasai Derec Wyn yn dotio wrth fy ngweld i mor glyfar, ac yn troi ei gefn yn gyfan gwbl ar Mandy Webb. Hyd yn oed tasa hi'n aros *blwyddyn* yn ei gartre!

Ond mae yna ddiwedd i bob munud wan, ac mi flinais ar wylio Rhodri a'i gampau. Ac mi gofiais bod Mam yn ypsét yn y gegin. Ond pan gyrhaeddais i fan 'no, dyna lle'r oedd hi'n eistedd wrth y bwrdd gyda mygaid o goffi, ac yn darllen y papur!

Mi gododd ei phen pan gyrhaeddais.

'Wyt ti wedi gorffen hefo Rhodri?' holodd heb fawr o ddiddordeb.

Mi agorodd fy ngheg droeon wrth i mi chwilio am eiriau teilwng i'r amgylchiad. Ond ddaeth 'na ddim! Dydw i'n dallt dim ar rieni!

'Well iti ddŵad hefo mi,' medda Dad fel roedd o ar gychwyn i nôl Nain a'i phethau.

Dweud 'ol-reit' yn reit surbwch wnes i. Newydd orffen plicio tatws erbyn cinio gyda'r nos roeddwn i, heblaw fod gen i lwyth o waith cartref eisio'i wneud. Ond dydi rhieni'n malio dim am beth felly, os ydi'u planiau nhw yn y fantol.

Mi gyrhaeddon y cartre a mynd i mewn trwy'r drws. Roedd Nain yn eistedd yn y lobi, a'i chês a'i bagiau plastig wrth ei hochr.

'Mi fuoch ddigon hir,' medda hi'n swta. 'Rydw i yma ers oriau. A jest â rhynnu.'

Dyna gychwyn pethau'n groes yn syth bin. Roedd wyneb Dad fel y fagddu.

'Rheitiach i chitha ddefnyddio tipyn o synnwyr cyffredin, Mam,' medda fo'n gryf. 'Yn y lolfa roedd eich lle chi nes inni gyrraedd.'

'Hefo'r Magi Tŷ Isa 'na'n gwenu fel giât Palas Bycinham arna i?' holodd Nain yn siort. 'Cael y lle iddi'i hun wedi mynd i'w phen hi. Meddwl ei bod hi wedi fy ngyrru i o'ma, mwya ffŵl hi.'

'Pam na fuasach chi'n aros i brofi'n wahanol, 'ta?' holais inna'n ddiniwed.

Mi edrychodd Nain yn reit siarp arna i.

'Am mai adra hefo fy nheulu ma'n lle i,' medda hi. 'Nid yng nghanol hen gojars—wedi gweld eu dyddiau gwell.'

Fedrwn i ddim peidio â gwenu.

'A rheitiach i titha afael yn fy mhetha i er mwyn imi gael mynd i'r car,' medda Nain wedi cael cip o'r wên.

'Mi a' i i weld y metron,' meddai Dad.

'Ia. Dos di. A dweud wrthi am gadw llygaid ar Magi Tŷ Isa rhag iddi stwffio'i phig i fusnes pawb a phopeth,' gorchmynnodd Nain.

Ac wedi'r saeth yna, dyma hi'n codi'n urddasol ac yn symud yn hynod o sgut am y lolfa i gael cip ar Magi Tŷ Isa.

'Ta ta rŵan,' medda hi hefo'i phen rownd drws y lolfa. 'Fawr o iws imi aros yma, a finna'n fy llawn iechyd, gorff a meddwl. Paid tithau ag anghofio cymryd dy dabledi, Magi. Mi ddo i i edrych amdanat ti pan ga i gyfle, a dydw i ddim eisio dy weld ti wedi dirywio'n dy iechyd.'

A chyn i Magi agor ei cheg bron, roedd Nain wedi gwenu'n glên ar bawb arall ac wedi'i gwadnu hi o'r drws. Roedd y wên yn dal ar ei hwyneb pan hebryngais hi am y car.

'Teimlo'n well, Nain?' holais yn ddiniwed.

Mi wasgodd fy mraich.

'Fel pioden, hogan,' meddai hi a'i gosod ei hun fel brenhines yn y sedd ffrynt.

Roedd Mam yn y gegin pan gyrhaeddon ni.

'Wel, Menai,' meddai Nain yn glên. 'A sut mae pethau yn fan 'ma?'

'Iawn,' medda Mam gan drio magu gwên.

Ond ymgais a methiant oedd hi.

Mi blonciodd Nain ei hun wrth y bwrdd.

'Paned fasai'n dda,' meddai hi. 'Gwna un i Menai a minna, Myrddin.'

'Llenwa'r tegell iddyn nhw, Gwenno,' meddai Dad a throi am y lolfa.

Mi welwn fod Nain yn dechrau beirniadu'n barod. Ond ddywedodd hi 'run gair, dim ond pletio'i cheg a thaflu cipolwg ar wyneb Mam.

'Wedi blino, Menai?' holodd yn sydyn a'i llais yn meddalu.

Mi welwn lygaid Mam yn llenwi. Trodd ei phen i ffwrdd.

'Braidd,' cyfaddefodd.

'Ia, wel, mae teulu'n mynd yn drech na rhywun weithiau,' meddai Nain yn gydymdeimlad i gyd. 'Ond rydw i yma i ysgwyddo dipyn ar y baich rŵan.'

Roedd fy ngên i'n pwyso ar fy mronnau ers meitin. Sôn am fêl a heulwen haf penfelyn!

'Mi ofalith Gwenno a finna am orffen y cinio, a golchi'r llestri wedyn,' meddai Nain yn gyffyrddus. 'Ac i chitha gael seibiant am unwaith, Menai.'

Ac felly y bu hefyd. Mi eisteddodd Mam yn y lolfa hefo Dad tra bu Nain a finna'n gorffen coginio'r cinio. Ac mi eisteddodd pawb rownd y bwrdd yn reit gytûn am unwaith, er fy mod i'n disgwyl daeargryn unrhyw funud.

Ond gwenu, a siarad yn glên, a pheidio â beirniadu ddaru Nain tan amser gwely. Ac mae'n rhaid bod gweld Nain wedi achosi i Rhodri anghofio am 'ddannedd torri trwodd' achos mi fu yntau'n fabi gorau'r deyrnas trwy'r gyda'r nos, a chysgu fel un o fwmïau'r Aifft tan y bore.

Yr unig frycheuyn yn y darlun hapus eithriadol yma oedd y gwely landin. Mi fydda i'n siŵr o gael pwl asthma hefo'r holl lwch!

Wrth gwrs, fe ddeffrodd pawb i realiti bywyd fel y mae o. Mi lwyddodd Llŷr i gyrraedd yr ystafell molchi o fy mlaen i, ac mi eisteddodd y llymbar bach ar y toiled am gryn hanner awr, ac yntau'n gwybod fy mod i ar ras eisio dal y bws ysgol.

'Symud hi,' gwaeddais gan ddobio'r drws.

'Rhwym ydw i,' meddai'r gwalch mewn llais torcalonnus. 'Fedra i ddim gwneud.'

'Mi ro i "wneud" iti,' bygythiais.

Mi driais y drws a'i ganfod heb ei gloi.

'Preifat ydi eista ar y pan,' gwaeddodd Llŷr fel y ffrwydrais trwodd. 'MAM!'

'Be sy rŵan?' holodd Mam o waelod y grisiau. 'Gad lonydd iddo fo, Gwenno.'

'Ond mi fydda i'n hwyr am y bws . . .'

'Tyrd i lawr i fynd â phaned Nain iddi,' meddai hi a throi'n ôl am y gegin.

Ffadin gorn! 'Blydi hel' mewn geiriau eraill! Lle'r oedd dannedd gosod Nain, tybed? Yn ei cheg, gobeithio! Roedd fy stumog i'n dechrau troi yn barod.

Mi garlamais i lawr y grisiau, cipio'r baned oddi ar y bwrdd, a charlamu fel eliffant am y llofft wedyn.

'Paned, Nain,' meddwn i. 'Ylwch, mi rho i hi'n fan 'ma. Rydw i'n hwyr.'

'Aros funud,' meddai Nain. 'Beth am fy nannadd i? Fedra i ddim yfed te heb rheiny. Llosgi top fy ngheg i.'

'Ar y bwrdd bach, ylwch,' meddwn i a bacio am y drws.

'Estyn nhw imi,' meddai Nain.

Mae popeth yn ôl yn yr hen drefn. Dannedd gosod a sgifio a Llŷr a babi! Does 'na ddim chwarae teg yn y byd 'ma. Yn enwedig i Gwenno!

Mi ddisgynnais ar sedd y bws wedi ymlâdd.

'Golwg bethma arnat ti,' meddai Siw. 'Gofiaist ti am dy waith cartre?'

Mi ddisgynnodd fy stumog i fy sgidiau.

'Naddo,' meddwn i a fy llais yn codi'n sgrech. 'Mi llabyddith Wati fi!'

'Arnat ti mae'r bai,' meddai Siw, yn berffaith gyffyrddus am ei bod hi'n ddiogel, ac wedi cofio.

Roeddwn i'n reit benisel yn cyrraedd yr ysgol. Ac yn fwy penisel byth pan welais i Mandy Webb yn dynn wrth ochr Derec Wyn ar yr iard.

'Heia, Gwenno!' meddai hi ac anelu fel saeth amdana i. 'Neis dy . . . weld ti.'

Nefi, mae gwersi Derec Wyn yn llwyddiannus! Fedra i ddim dweud gair amdani rŵan heb iddi ddeall!

Mi daflais gipolwg i'w gyfeiriad, a chael winc gariadus yn ôl. Mi gododd hynny dipyn ar fy nghalon, er bod presenoldeb Mandy Webb bron â fy ngyrru'n wallgof!

Roedden ni'n cerdded ar hyd y coridor pan afaelodd Derec Wyn yn fy mraich.

'Dy gyfarfod di bore fory?' holodd yn isel. 'Mandy'n mynd hefo'i thad.'

Roeddwn i ar fin cytuno'n falch pan gofiais am Mwclis Pert. Rydw i'n gweithio yn fan'no bob bore Sadwrn, ac mae Mrs Roberts yn fam i Rhun.

'Fedra i ddim,' meddwn i. 'Gweithio.'

'Gwna esgus,' medda Derec Wyn. 'Sâl neu rywbeth.'

Mi edrychais arno fo fel het! Sut awn i i'r dre wedi smalio bod yn sâl? Beth tasa Mrs Roberts neu Rhun yn fy ngweld i?

'O, dyna ti, 'ta,' medda fo'n surbwch a phrysuro mlaen ar hyd y coridor.

Mae'n loes calon gen i gyfaddef, ond rydw i'n dechrau amau bod Derec Wyn yn licio cael ei ffordd ei hun. Wedi'i sbwylio. Ydi pob bachgen golygus 'run fath?

'Be oedd hynna?' holodd Siw.

'Derec Wyn wedi pwdu,' meddwn i.

Ddeudodd Siw ddim byd am eiliad, ond roedd ei hwyneb hi'n dweud cyfrolau!

'Dydi Prysor byth yn . . .' cychwynnodd.

Wnes i ddim aros i wrando, ddim ond pydru 'mlaen am y dosbarth. Mae Siw yn anodd byw hefo hi byth ers i Prysor ofyn iddi ei briodi.

Wrth gwrs, mi ganodd Wati Welsh res o glychau uwch fy mhen.

'Gwenno Jones—eich gwaith chi byth mewn pryd. Eich pen yn y gwynt. Rhaid ichi afael ynddi. Eich rhieni'n disgwyl gwell.'

Ac ymlaen ac ymlaen yn ddi-ben-draw nes roeddwn i wedi syrffedu! Mae gen i bethau eraill i boeni amdanyn nhw. Sgifio di-ben-draw ydi un. A'r ffaith fy mod i wedi darganfod brycheuyn yng nghymeriad Derec Wyn ydi'r llall!

Mi es i weithio i Mwclis Pert yn ddigon isel fy nheimladau. Roedd Rhun yno o fy mlaen.

'Gwenno!' medda fo a gafael yn fy mraich cyn imi roi troed i mewn bron.

'Y ddau gyfarfod 'na ddechrau'r wythnos,' medda fo'n llawn brwdfrydedd. 'Mudiad Cadwraeth Llwybrau nos Lun a'r Werin yn erbyn Datblygiad Estron nos Fawrth.'

'O, ia?' meddwn i heb fawr o ddiddordeb.

'Rwyt ti yn dŵad, dwyt?'

'Am wn i,' meddwn i'n ddigon llugoer.

'Rydw i am siarad yn y cyfarfod nos Lun, ysti. Am yr angen i gadw llwybrau'r wlad 'ma'n agored. I'r cyhoedd gael eu mwynhau nhw. Wnei di ddweud gair hefyd? Ategu?'

Mi edrychais arno fel petai o'r bwystfil mwyaf.

'Y fi? Siarad yn gyhoeddus? Dos i ganu!' meddwn i'n gry.

'Ond, Gwenno . . .'

'Na,' meddwn i.

'Plîs!'

'Na.'

Roedd wyneb a gwallt Rhun 'run lliw â'i gilydd. Coch!

'Disgwyl gwell gen ti,' medda fo. 'A tithau wedi mwynhau cerdded hefo Clwb Nant-Wen a phopeth.'

Os oedd cerdded marathon yn fwynhau, 'tê! Yr unig fwynhad gefais i oedd swigod fel platiau ar fy sodlau a glaw ddigon i foddi rhywun yn dymchwel o'r nefoedd. Ac roeddwn i wrth fy modd yn eu diodde nhw—jôc!

'Mi ddo i hefo chdi, wrth gwrs,' meddwn i gan wanhau ychydig. 'Ond *dim* siarad yn gyhoeddus. Dallt?'

'Dallt,' meddai fo'n siomedig wylaidd.

Dew! Mae angen cryfder anarferol i drin bechgyn!

Roeddwn i wedi meddwl cael ychydig funudau ychwanegol ar y gwely gwersyllu y bore 'ma. Ond gobaith mul!

Roedd dannedd Rhodri'n ei boeni eto, a'i foch o'n ffyrnig goch pan gododd Mam.

'Gafael ynddo fo wir, Gwenno,' medda hi wedi imi ddylyfu gên yr holl ffordd i lawr y grisiau ac i'r gegin.

'Fedr o ddim diodda fy sbectol i,' meddwn i. 'Crio mwy wnaiff o.'

Ond does dim modd darbwyllo Mam wedi iddi gael syniad i'w phen.

'Rwtsh!' meddai hi a throi i baratoi potel iddo fo.

Mi afaelais ynddo fel tasa fo'n gols poeth! Dydw i ddim yn licio trin babis, yn enwedig cyn brecwast.

Ac, wrth gwrs, mi ddechreuodd floeddio.

'Dyna fo,' meddwn i wrth Mam. 'Fy sbectol i ydi'r drwg. Ddeudis i, do?'

Ac yna'n sydyn, mi stopiodd Rhodri grio a gwneud wyneb ymdrechgar, piws. Mi ddaeth yna sŵn rhuthr oddi tanodd ac arogl bin sbwriel wedi drewi ers misoedd, fel y llanwodd ei glwt.

Mi fu bron imi â'i ollwng!

'Iyc!' meddwn i. 'Mae o'n drewi!'

'Dannedd yn codi deiaria,' eglurodd Mam. 'Newidia'i glwt o, Gwenno, tra bydda i'n gorffen paratoi'r botel 'ma.'

'Ond . . .'

Chymerodd mam ddim arni glywed.

Siwgr gwyn! meddwn i wrthyf fy hun fel yr anelais am yr ystafell molchi. Roedd pâr o fenig rwber yn fan'no, a doeddwn i ddim am drin pen ôl 'run babi heb fy niogelu fy hun. Mae deiaria yn heintus.

Mi roddais Rhodri ar y mat newid a dadwisgo'i hanner isa. Sôn am ddeiaria! Roedd o ym mhobman. I fyny'i gefn, i lawr ei goesau, ar ei fol! Ac roedd y creadur bach yn mynnu cicio a thrio troi ar ei stumog a gwneud pethau'n waeth.

Mi stwffiais y clwt budr i fag plastig. Diolch byth fy mod i wedi cael digon o synnwyr i wisgo'r menig rwber, penderfynais fel y cyrhaeddais am y 'baby wipes'!

'Ych pych!' medda Llŷr y tu ôl imi. 'Drewi pych, 'tê?'

'Drewi pych fuaset titha hefyd tasa ti'n cael dannedd am y tro cynta,' meddwn i.

'Pam rwyt ti'n gwisgo menig, Gwenno?' holodd. 'Fydd Mam byth yn gwneud.'

'Paid â holi,' meddwn i'n fyr fy amynedd.

Roedd fy stumog i'n troi uwchben y glanastra ers meitin.

'MAM!' gwaeddodd y cena bach o ben y grisiau. 'Mae Gwenno'n gwisgo *menig*! S'dim eisio hefo babi, nac oes?'

'Yli di,' bygythiais a gafael ym mag y clwt budr. 'Mi ro i dy drwyn di yn hwn os na chaei di dy geg.'

Roedd un whiff o hwnnw yn ddigon i Llŷr. Mi garlamodd i lawr y grisiau, ac mi clywn i o'n achwyn fel 'randros wrth Mam.

Mi fu'n rhaid imi newid pob cerpyn oedd am Rhodri.

'Wel, dyna ti,' meddwn i wedi gorffen. 'Paid â meiddio gollwng trwyddi eto, neu mi chwilia i am gorcyn iti.'

Gwenu'n braf arna i ddaru Rhodri. Mae o'r peth bach anwylaf pan licith o, ac mae fy nghalon i'n meddalu weithiau. Ond dim ond weithiau—pan mae o'n lân ac yn ogleuo o bowdwr talcwm, a ddim yn cael dannedd! Wn i ddim pam na all babis gael dannedd *cyn* eu geni. Mi fasai'n arbed lot o drafferth i famau a chwiorydd! Yn enwedig chwiorydd!

Mi gyrhaeddodd nos Lun a chyfarfod y Mudiad Cadwraeth Llwybrau.

'Dechrau saith,' rhybuddiodd Rhun pan ffoniodd. 'Mi ddo i dy nôl am chwarter i.'

'Iawn,' ochneidiais.

Sut rydw i'n cael fy nhynnu i mewn i sefyllfaoedd fel hyn, wn i ddim.

'Tyrd adra'n syth o'r cyfarfod,' rhybuddiodd Dad. 'Mae gen ti ddigon o waith ysgol i'w wneud, taset ti'n gafael ynddi.'

Feddyliodd o ddim am hynny pan oedden ni'n nôl Nain o'r cartre, yn naddo?

'Chwara teg i'r hogan,' meddai Nain. 'Dydi cadw trwyn ar y maen byth a beunydd ddim yn beth da.'

Mi edrychais i'n reit ddrwgdybus arni. Fy nghefnogi i, 'ta gwrthwynebu Dad oedd hi, tybed? Ond er imi'i llygadu hi'n reit drwyadl, golwg bur ddiniwed welais i ar ei hwyneb hi. Rhy ddiniwed efallai! Mae Nain yn llawn triciau.

Mi gyrhaeddon ni'r cyfarfod ar ben saith. Roedd yna griw reit dda yno, a phawb drwyn yn drwyn yn trafod y busnes a fyddai mewn llaw.

'Tyrd i'r ffrynt,' gorchmynnodd Rhun a'i hanelu hi am y seddau blaen.

'Well gen i yn y tu ôl,' meddwn i. 'Medru gwrando'n well yn fan 'no.'

Ond does yna ddim symud ar Rhun wedi iddo gael chwilen yn ei ben.

'Y ffrynt, imi gael bod yn barod i siarad,' medda fo.

Mi afaelodd yn fy mraich a fy sodro'n anewyllysgar yn y rhes flaen. Yna mi anelodd am y dyn oedd yn eistedd wrth y bwrdd bach ar y llwyfan.

Roedd hwnnw'n wên i gyd pan welodd o Rhun. Mi gododd ar ei draed ac ysgwyd llaw hefo fo, ac wedi iddyn nhw sgwrsio'n ddwfn am rai munudau, mi drodd y dyn a gwenu'n glên arna inna.

Mi wenais inna'n ôl er mwyn bod mor glên ag yntau. Ac yna, mi ddechreuodd y cyfarfod. Roedd o'n reit ddiddorol, am wn i. Ond a dweud y gwir, er fy mod i'n cytuno gant y cant hefo'u daliadau nhw, roeddwn i'n dechrau diflasu ymhell cyn i Rhun godi i siarad. A dweud y gwir ymhellach roedd eisio cysgu'n boddi'n don drosta i.

'A rŵan, mi gawn air gan Rhun, un o'n haelodau ifanc,' meddai'r dyn o'r llwyfan.

Mi gododd Rhun fel petai ei ben ôl ar dân, a bowndian ei ffordd i'r llwyfan.

'Foneddigion a Boneddigesau . . .' cychwynnodd.

Ar ôl ychydig funudau, mi deimlwn fy hun yn llithro'n braf i rhyw flanced wlanog gynnes, a llais Rhun yn cilio ymhellach ac ymhellach nes iddo ddiflannu'n llwyr i rywle.

Y peth nesaf glywais i oedd clapio dwylo, a Rhun yn ei ollwng ei hun wrth fy ochr.

'Sut gwnes i?' holodd dan ei wynt.

'Grêt,' meddwn i. (Heb syniad!)

Ond roedd y dyn llwyfan ar ei draed eto, ac wedi iddo ddiolch am gyfraniad gwerthfawr Rhun dyma fo'n troi i fy nghyfeiriad inna.

'Rydw i'n siŵr y buasai ffrind Rhun, un arall o'n haelodau ieuanc ni, yn barod i ddweud gair ymhellach,' medda fo.

Mi edrychais i'r ochr draw i Rhun, i chwilio am y ffrind dieithr 'ma, cyn i'r gwir fy nharo i. Y *fi* oedd on 'i feddwl! Y *fi*!

Roedd pawb yn edrych arna i ac yn disgwyl imi godi ar fy nhraed.

'Bradwr!' hisiais yn wyneb Rhun.

'Ddeudais i 'run gair,' medda fo.

'Pwy ddaru, 'ta?' holais rhwng fy nannedd.

'Nid fi,' medda'r celwyddgi.

'Dowch ymlaen . . . ymm . . .?' Roedd golwg ymholgar ar y dyn.

'Gwenno,' galwodd Rhun yn llawn cwrteisi.

'Gwenno—dowch ymlaen,' meddai'r dyn eto.

Wel, er imi godi, doedd 'run o 'nhraed i'n barod i symud cam. Ond rywsut neu'i gilydd, mi faglais i'r llwyfan a throi i wynebu môr o wynebau dieithr.

Gwenno Jones, meddwn i wrth fy nghalon wan.

Paid â gadael i ddim dy drechu di. Siarad fel petait ti adre, ac mi gei labyddio Rhun wedi iti orffen.

Mi agorais fy ngheg, ond doeddwn i ddim yn siŵr a ddeuai gair allan. Ac yna, mi feddyliais am Mandy Webb, ac fel roedd hi geg yn geg â Derec Wyn, ac yn rhannu tŷ hefo fo a phopeth, a rywsut, mi daniais iddi. Ac mi dywalltais fy rhwystredigaeth gyfan i ddadl 'cadw'r llwybrau'n agored i rywun fel Rhun a finna gael eu cerdded nhw, a chael mwynhad awyr iach a chlywed yr adar yn canu, a gweld bywyd gwyllt, a theimlo'r awel ar ein hwynebau ni a'r haul ar ein cefnau, a phob giât a chamfa'n hawdd i fynd trwyddi'.

A chyn imi sylweddoli, roeddwn i wedi siarad fel lli'r afon am gryn ddeng munud. Ac roedd y clapio dwylo'n fyddarol, a rhyw ddyn bach barfog o'r tu ôl yn chwibanu hyd yn oed.

Mi es yn ôl i fy sedd a fy nhu mewn yn wresog falch. Ac roedd wyneb Rhun fel si-so. Yn gogrwn rhwng bod yn falch ohona i, a braidd yn eiddigus o fy llwyddiant. Ond chwarae teg i Rhun, bod yn falch enillodd.

Roeddwn inna'n reit fodlon yn dŵad allan o'r cyfarfod. Mi afaelodd Rhun amdana i wrth i ni gerdded ar hyd y pafin.

'Howld *on*,' meddwn i. 'Mae gen i asgwrn i'w grafu hefo ti, y sinach llac dy dafod iti.'

'Ddeudis i 'run gair. Wir,' medda fo. 'Ond roeddet ti'n grêt, Gwenno.'

Roeddwn i'n union 'run farn ag o. A phwy ŵyr pa mor uchel y dringa i yn y byd 'ma? Aelod Seneddol, efallai?

Mae cysgu ar y landin yn fy *lladd* i! Heblaw am y llwch sy'n disgyn yn gymylau o'r atig, mae siafings yn gawod ar ôl y saer hefyd. A phob bore, rydw i'n gorfod rhoi hen gwrlid tros fy ngwely, a chyda'r nos rydw i'n sgifio'n drafferthus i gael y lle'n ffit i gysgu ynddo am noson arall.

'Pa mor hir fyddan nhw eto?' holais Mam yn dorcalonnus.

'Wythnos, meddan nhw,' oedd ei hateb hi.

'*Wythnos!* Ond mi fydda i yn yr ysbyty hefo asthma ymhell cyn hynny. Gwrandewch!'

A dyma fi'n anadlu fel mochyn wedi'i besgi i brofi 'mhwynt.

'Swnio'n iach iawn wir,' meddai Mam heb ronyn o gydymdeimlad. 'A chdi oedd eisio lle i ti dy hun.'

'Ia—os cawn i gysgu yn fy llofft nes roedd popeth wedi'i orffen,' meddwn i.

'Mi ddylet fod wedi perswadio dy nain i aros yn y cartre 'na, 'ta,' medda hi hefo llai fyth o gydym-deimlad.

'Mae eisio gras hefo rhieni,' cwynais wrth Siw yn ddiweddarach. 'Hunanol—dyna beth ydyn nhw.'

'Siarad trostat dy hun,' medda Siw. 'Mae fy rhai i yn iawn. . . . weithia,' medda hi gan ailfeddwl.

'Mae fy rhai i'n hunanol trwy'r amser,' meddwn i'n benisel.

Ac roeddwn i'n fwy penisel fyth pan gyrhaeddais i'r ysgol a gweld Derec Wyn yn gwgu arna i wrth y drws.

'A beth sydd arnat ti?' holais yn reit bigog.

'Y chdi,' medda fo'n chwyrn.

'Y fi? Be ydw i wedi'i wneud?' holais yn gegagored.

'Mynd hefo Rhun neithiwr. Mi welais i chdi. Roedd o'n gafael amdanat ti.'

Mi lyncais i boer am eiliad. Doedd yna ddim iotyn rhwng Rhun a fi. Ond mi gofiais ei fod o wedi gafael amdana i am eiliad. A dim ond eiliad!

'Wyt ti wedi 'mhrynu i, neu rywbeth?' gofynnais a 'nhymer yn codi.

'Iawn ydi iawn,' medda fo'n surbwch reit. 'Dydw i ddim yn *sbio* ar ferch arall, heb sôn am afael amdani hi.'

'Nac wyt ti wir?' meddwn i. 'A beth am fynd i'r siop gyfrifiaduron hefo Mandy Webb?'

'Mae hynny'n wahanol. Ac wn i ddim pam rwyt ti'n ei galw hi'n Mandy Webb o hyd. Mandy ydi'i henw bedydd hi.'

'Mi alwa i hi'n Mandy Webb os licia i.'

'Dydi o ddim yn beth neis.'

'Pwy soniodd am neis? Y chdi gododd sgwarnog. Dweud 'mod i wedi bod hefo Rhun neithiwr, a tithau'n gwybod yn iawn 'mod i'n mynd i gyfarfodydd hefo fo. Ac mi ddaru mi siarad yn gyhoeddus neithiwr hefyd, a chael llwyddiant mawr.'

'Y chdi?'

'Ia.'

Mi wenodd heb goelio gair.

'Cer o 'ma!'

'Reit—mi a' i,' meddwn i a throi ar fy sawdl a'i gwadnu hi ar hyd y coridor. 'A dydw i ddim eisio mynd allan hefo ti, Derec Wyn. Byth eto. Dallt?' gwaeddais.

'Iawn. Ardderchog,' gwaeddodd yntau'n ôl. 'Mae'n gas gen i rywun dan din.'

Dan din! Y fi? Roedd fy nhu mewn yn wenfflam wrth i mi garlamu ar hyd y coridor.

'Wedi ffraeo, Gwenno?' holodd Gwen yn ffals.

'Meindia dy fusnes,' meddwn i'n siort.

Dydi bywyd merch mewn cariad ddim gwerth ei fyw!

Mi fuasech yn meddwl y buasai Mam yn gweld fy mod i'n llawn o deimladau briwedig. Ond, na!

'Plicia'r tatws imi, wnei di, Gwenno?' oedd ei geiriau cyntaf.

Wnes i ddim ateb. Ddim ond nodio fy mhen yn bur llugoer a mynd i'r lolfa i chwilio am Nain.

Roedd hi'n eistedd fel brenhines o flaen tanllwyth o dân.

'Tyrd i fan 'ma iti gael cynhesu,' medda hi gan edrych arna i o dan ei haeliau. 'Wyt ti'n iawn?' holodd wedyn wrth fy ngweld i'n syllu'n ddistaw i'r fflamau.

'Derec Wyn a finna wedi ffraeo,' meddwn i'n benisel. 'Be wna i, Nain?'

'Ffraeo am beth, y tro yma?' holodd Nain yn llawn diddordeb.

'Y fo'n taeru bod Rhun wedi gafael amdana i neithiwr.'

'Wnaeth o?'

'Dim ond am eiliad. Am fy mod i wedi siarad yn gyhoeddus am y tro cynta, ac wedi cael hwyl arni hefyd.'

A dyma fi'n dechrau poethi iddi wrth gofio geiriau Derec Wyn.

'Ac roedd Derec Wyn yn wfftio pan ddeudis i wrtho fo. Sinach! Meddwl nad oes dim ym mhen neb ond y fo. A 'ngalw i'n dan din hefyd.'

Roeddwn i'n poethi fwyfwy wrth ailgofio.

'Dwyt ti ddim llawer o eisio cymodi felly,' sylwodd Nain.

'Oes. Nac oes. Wn i ddim,' meddwn i'n llawn cymysgfa. 'Rydw i hefo fo ers blwyddyn rŵan, tydw?'

'A beth sydd wnelo hynny â dim?' holodd Nain. 'Mae angen prynu menig newydd weithiau.'

'Gwenno! Y tatws 'na!' galwodd Mam o'r gegin.

'Dŵad rŵan!' galwais yn ôl.

Does waeth os ydi calon rhywun ar dorri, rhaid sgifio yn y tŷ 'ma.

'Be fuasech chi'n ei wneud, Nain?' holais wrth droi am y drws.

'Y chdi all benderfynu, a neb arall,' meddai Nain.

A dyma hi'n pwyso'n ôl yn ei chadair ac agor y papur heb boen yn y byd.

Iawn ar rai, meddwn i wrthyf fy hun wrth fynd i'r gegin.

'Mi fuost ddigon hir,' medda Mam.

'Siarad hefo Nain,' meddwn i'n foel.

'O!' atebodd Mam yr un mor foel.

Heb ronyn o ddiddordeb, wrth gwrs.

Roeddwn i'n dawedog trwy amser cinio nos. Lot ar fy meddwl, doedd? Ac mi ddringais i'r gwely landin yr un mor dawedog. Oeddwn i am geisio cymodi hefo Derec Wyn? Dyna oedd yn fy mhoeni. Doeddwn i ddim yn siŵr iawn erbyn hyn. Gweld fy hun wedi diodda digon ers y parti hwnnw gychwynnodd y garwriaeth, a gweld bod yn rhaid imi roi'r gorau i dderbyn popeth fel taswn i'n fat o dan draed.

Ac nid Derec Wyn oedd yr unig fachgen yn y byd 'ma. Roedd Rhun gen i . . . ac Iwan. Ond ffrindiau oedden nhw, nid cariadon.

Mi fûm i'n troi a throsi heb gau fy llygaid bron trwy'r nos. A phan *oeddwn* i'n pendwmpian, roedd wyneb Derec Wyn fel lleuad llawn yn fy mreuddwydion. Derec Wyn yn gwenu'n gariadus arna i, Derec Wyn yn estyn ei freichiau amdana i, a Derec Wyn yn fy nghusanu.

Ond jest pan oeddwn i'n toddi i'w freichiau, roedd rhywun yn ein gwahanu ni. Gwen . . . Mandy Webb . . . mam Derec Wyn . . . Nain. Mi ddeffrois yn chwys laddar hefo andros o gur yn fy mhen.

A phan gyrhaeddais i'r ysgol mi aeth y cur yn gan gwaeth wrth gyfarfod Derec Wyn ar y coridor, a hwnnw'n edrych reit trwydda i.

Os mai fel 'na mae'i dallt hi, meddyliais, dydw i ddim am gymryd arna bod ots gen i. Os oes ots gen i hefyd.

'Dach chi'ch dau fel ci a chath,' medda Siw. 'Dydw i ddim angen teledu, mae digon i 'niddori i o flaen fy nhrwyn.'

'P'run wyt ti, ffrind 'ta gelyn?' holais yn bigog jest fel y cyrhaeddodd Gwen.

Roedd gwên o yma i Gaerdydd ar ei hwyneb.

'Sori, Gwenno,' medda hi. 'Ond mae Derec Wyn wedi gofyn imi fynd allan hefo fo y penwythnos. Dim ots gen ti, nac oes? A chitha wedi gorffen.'

'Nac oes, siŵr,' meddwn i er bod y geiriau'n fy nhagu. 'Rhaid i bawb brynu menig newydd weithiau.'

Mi edrychodd Siw a Gwen yn syn arna i.

'Menig?' holodd y ddwy'n ddryslyd.

Mi wenais inna'n glên arnyn nhw, a chychwyn am y dosbarth hefo'r un wên wedi'i gludio fel plaster ar fy ngwefusau.

'Paid â chymryd sylw ohoni hi,' medda Siw yn deimladwy gan ddisgyn i'r gadair wrth fy ochr. 'Y chdi mae Derec Wyn yn ei licio.'

Mae Prysor gan Siw, a rŵan mae Derec Wyn gan Gwen. A does gen i neb. Ond does dim ots gen i. Dim . . . iotyn . . . o . . . ots, er bod fy nghalon i'n dipiau.

'Tyrd i tŷ ni am de,' medda Siw. 'Mi gei ffonio dy fam i egluro.'

'Iawn,' meddwn i'n llugoer.

Fedrwn i ddim magu brwdfrydedd i ddim.

'A phaid â boddi mewn hunandosturi,' cynghorodd Siw. 'Arno fo mae'r bai.'

Digon hawdd iddi hi siarad. Ond roeddwn i mewn limbo. Ddim yn mynd na dŵad rywsut. Ddim ond yn pendroni tybed oeddwn i wedi gwneud y peth iawn yn cael ffrae fel 'na hefo Derec Wyn, a tybed ddylwn i fod wedi ymddiheuro a cheisio cymodi. Ond pam oedd yn rhaid imi fynd ar fy ngliniau i fachgen? Mi ddylwn gofio am hawliau merched, a rhyddid yr unigolyn a bod gan bawb hawl i fywyd heb fod o dan fawd pobl eraill.

'Dyna chdi,' medda Siw. 'Gwena.'

Mae Siw'n codi'n syrffed arna i weithiau. Ond mi arhosais i de wedi imi ffonio adre, a chael siars gan Mam i beidio ag aros yn hir. A doeddwn i ddim eisio aros yn hir chwaith. Eisio bod ar fy mhen fy hun hefo fy nheimladau oeddwn i.

Mi gyrhaeddais adre wrth gwt Dad.

'Heia . . .' cychwynnais cyn cau fy ngheg yn glep.

Roedd rhywbeth o'i le, mi fedrwn weld hynny ar unwaith.

'Dach chi'n sâl?' holais.

Roeddwn i'n meddwl am ffliw ac anhwylderau felly.

'Na,' medda fo'n drymaidd a chychwyn am y gegin.

Mi frysiais ar ei ôl.

'Beth sy?' holais eto.

Roedd Mam wrth y sinc. Mi drodd pan glywodd hi fi'n gofyn ac edrych ar Dad.

'Myrddin?' meddai hi'n ansicr a'i llygaid ar ei wyneb.

Mi ddisgynnodd Dad i'r gadair heb ddweud gair. Roedd yna linyn anweledig yn cysylltu Mam a finna, a hwnnw'n llawn ofn a phryder.

'Wyt ti'n sâl, Myrddin?' holodd Mam gan frysio ato.

Ysgwyd ei ben ddaru fo ac estyn am ei llaw.

'Mae o am ddigwydd eto, Menai,' medda fo'n drymaidd.

Mi ddisgynnodd Mam i'r gadair wrth ei ochr.

'Be? Be sy wedi digwydd?' holodd.

'Y cwmni am ddiswyddo chwe deg. Y mwyafrif i adael yn wirfoddol, yn ôl y gobaith. Os ddim, yna rhai fel fi. Diwethaf i mewn, cynta allan. Mi wn i hynny'n iawn.'

Roedd fel petai'r anadl wedi'i wasgu o fy ysgyfaint. Dad am fod allan o waith eto! Roeddwn i'n cofio fel y bu o'r blaen. A'i ben yn ei blu, a ddim am 'molchi'n iawn a phethau felly.

Roedd gwefusau Mam yn symud, ond doedd yna ddim gair yn dŵad allan. Roedd fy nghoesau inna'n dechrau gwegian hefyd, ac mi eisteddais wrth y bwrdd gyda nhw.

'Pryd?' holais yn egwan.

'Cyn gynted ag y medran nhw.'

Ochneidiodd Dad.

'A dweud y gwir, wn i ddim fedran nhw achub y cwmni. Dim archebion bron.'

Ochneidiodd eto.

'Yr holl gostau 'ma,' medda Mam yn sydyn. 'Sut y talwn ni nhw, Myrddin?'

Roedd y ddau'n edrych ar ei gilydd fel petai'r byd ar ben.

'Mae Nain yn talu am yr estyniad, tydi?' meddwn i gan feddwl cysuro ychydig arnyn nhw.

'Ydi,' medda Mam yn drymaidd. 'Ond beth am yr atig?'

O! Uffern dân a siwgr gwyn, a llu o lwon eraill. Beth ddigwyddith rŵan?

'Dim iws croesi pont cyn dŵad ati,' meddwn i gan gofio geiriau Nain rywdro.

'Pa bont?' medda Nain o'r drws.

A dyma hi'n eistedd wrth y bwrdd ac edrych yn graff o un i un.

'Pa bont?' holodd eto.

'Waeth ichi gael gwybod ddim,' medda Dad yn isel

ei ysbryd. 'Sôn am ddiswyddo yn y gwaith. Chwe deg. Efalla bydd y lle'n cau'n gyfan gwbl.'

Mi gliriodd Nan ei gwddf yn swnllyd.

'A beth wyt ti am ei wneud ynglŷn â'r peth, Myrddin?' holodd yn filwriaethus.

'Be fedra i 'i wneud?' holodd Dad a'i lais yn codi. 'Benthyca arian iddyn nhw er mwyn cadw fy swydd?'

'Does dim angen gwamalu,' meddai Nain. 'Rhaid iti ddechrau chwilota am swydd arall fory nesa.'

Roedd yn hawdd gweld oddi wrth wyneb Mam a Dad eu bod nhw wedi cael llond bol ar draethu Nain.

'Mae Myrddin yn siŵr o drio'i orau,' meddai Mam yn ffwrbwt. 'Dyna wnaeth o erioed.'

'Ia,' cytunodd Nain a golwg anghytuno'n llwyr arni.

Yr eiliad nesaf fe ffrwydrodd Llŷr i'r gegin.

'Hei! Dyfalwch be!' gwaeddodd a'i wyneb yn wên i gyd. 'Rydw i wedi cael ci bach yn anrheg. Am ddim!'

'Ond pam na cha i'i gadw fo?' gwaeddodd Llŷr a'i wyneb yn danllyd. 'Anrheg ydi o!'

'Fedrwn ni mo'i fforddio fo,' medda Dad.

'A dydw i ddim eisio ci a babi yn yr un tŷ,' deddfodd Mam.

'Ond *pam*? Fydd o ddim trafferth. Mi gaiff o gysgu hefo mi . . .'

'Na chaiff wir,' medda Mam. 'A dyna ben arni.'

'Ond mae Gwenno'n cael *atig!* Dydi o ddim yn deg!'

A dyma fo'n dechrau bloeddio crio.

'Na, ddeudais i, a na rydw i'n 'i feddwl,' medda Dad.

Ac mi gododd a diflannu am y lolfa.

Roedd gen i biti drosto, a thros Mam hefyd. Ac andros o biti dros Llŷr, achos mae o'n swnian am gi bach ers cantoedd. Ond digon ydi digon, yng nghanol problemau.

'Ydw i'n cael yr atig rŵan?' holais Mam yn ddistaw. 'Fedrwch chi fforddio?'

Mi gliriodd Nain ei gwddf eto.

'Wrth gwrs, y medrwn ni fforddio,' meddai'n gry. 'Mi ofala i am hynny.'

Mi fedrwn weld nad oedd Mam fawr o eisio blasu elusen, a hynny gan Nain o bawb. Ond gwenu'n wannaidd wnaeth hi.

'Mi gawn ni weld, Gwenno,' meddai. 'Mi gawn ni weld.'

'Ond ga i'r ci?' holodd Llŷr a throi i edrych ar Nain gan ddisgwyl iddi ofalu amdano yntau hefyd.

Ond pletio'i cheg ddaru Nain ac ysgwyd ei phen.

'Cŵn o dan draed rhywun o hyd,' meddai hi. 'A rhaid cofio am Rhodri.'

Mi redodd Llŷr allan a'i wyneb yn fôr o ddagrau.

'Ma'r hogyn 'na wedi'i sbwylio, Menai,' meddai Nain. 'Rhaid iddo ddysgu derbyn gwirioneddau bywyd.'

Ochneidiodd Mam.

'Mae o eisio ci erioed,' medda hi. 'Ond fedrwn ni ddim—yn enwedig rŵan. Dos ar ei ôl, Gwenno, ac eglura iddo fo.'

Dyna hi eto, meddwn i wrthyf fy hun. Gwenno Jones a phwysau'r byd yn disgyn ar ei hysgwyddau gwantan hi. Seiciatrydd fydda i—rydw i'n cael digon o brofiad hefo problemau pobl yn barod.

Mi es allan i'r ardd. Mi wyddwn mai yn y sièd y byddai Llŷr.

'Yli, Llŷr,' meddwn i gan geisio bod yn rhesymol garedig. 'Dwyt ti ddim yn dallt. Mae Dad ar fin colli'i waith unwaith eto. A fydd 'na ddim ceiniog i'w sbario yn y tŷ 'ma wedyn.'

'Mi rwyt ti'n cael yr atig.'

'Wel, ydw, am wn i. Does neb yn siŵr eto. Ac wedi cychwyn rhywbeth, fedri di ddim ei adael ar hanner.'

'Rydw i wedi cychwyn cael ci hefyd. Wedi cael ci. Am ei nôl o fory.'

'Mi gei di gi ryw dro eto. Pan fydd pethau'n well.'

'Rŵan rydw i'i eisio fo. Mae Brechdan yn disgwyl imi'i nôl o.'

'Brechdan?' meddwn i a dechrau chwerthin.

Mi daflodd Llŷr ei hun amdana i a'i ddyrnau ar gau.

'Sgin ti ddim hawl . . . chwerthin.'

A dyma fo'n llwyddo i roi bonclust egr imi.

'Wel, y llymbar bach cegog,' meddwn i a'r boen yn saethu hyd ochr fy mhen. 'Dyma'r tro diwetha rydw i'n cydymdeimlo. Aros yn fan 'ma am byth, os lici di.'

Ac mi roddais hergwd yn ôl iddo wedi anghofio popeth am fod yn seiciatrydd a thrin teimladau briw pobl. Roedd gen i ddigon ohonyn nhw fy hun, heb feddwl am rai neb arall.

'Gwenn-o!'

'Tyrd i'r tŷ a phaid â bod yn fabi,' meddwn i'n siort.

'Mi reda i i ffwrdd,' addawodd Llŷr. 'Hefo Brechdan. Mi fydd pawb yn difaru wedyn.'

A dyma fo'n igian ei ffordd o fy mlaen i'r tŷ.

'A gwynt teg ar dy ôl di,' meddwn i'n galon galed.

Rôn i'n difaru wedyn hefyd. Yn enwedig wrth weld Llŷr yn sniffian crio trwy'r gyda'r nos, a gweld pawb yn anwybyddu'i wyneb torcalonnus. Ond mae digon o broblemau yn y tŷ 'ma heb i Llŷr ychwanegu ci bach atyn nhw. Mi fuasai'n pidlan byth beunydd ar y mat, a phwy fuasai'n gorfod llnau ar ei ôl? Does dim angen dyfalu!

Roeddwn i'n meddwl na fuaswn i'n cysgu winc rhwng

popeth. Ond prin roeddwn i wedi rhoi fy mhen ar y pilw nad oeddwn i yng ngwlad Nod.

Wn i ddim beth yn union achosodd imi ddeffro. Sŵn bach rhywun yn blaendroedio'i ffordd ar y grisiau, am wn i. Lladron! meddyliais yn syth.

Mi rewais o dan y dillad a'r chwys yn dringo i fyny fy asgwrn cefn. Roedd fy nghlustiau'n ymestyn o yma i Lundain wrth drio clustfeinio a cheisio penderfynu prun ai aros yno'n llwfr a'r dillad tros fy mhen wnawn i, 'ta codi'n fentrus a thaclo'r lladron—neu alw ar Mam a Dad i setlo pethau. Ond roedd drws eu llofft nhw ar gau'n dynn, a beth tasa'r lladron yn fy nghlywed i?

Roedd yna ryw sŵn bychan i'w glywed lawr grisiau o hyd, ac o'r diwedd, mi fagais ddigon o hyder i lithro fesul tipyn o'r gwely gwersyllu a sefyll ar y landin i glustfeinio rhagor. Ac yna, mi glywais lais Llŷr!

Wel, dyma fi'n ymwroli'n syth ac yn gwisgo'n slipars cyn blaendroedio i lawr y grisiau i weld beth oedd y cena bach yn ei wneud. Roedd golau yn y gegin, ac mi sbeciais inna'n ddistaw heibio'r drws wrth glywed ei lais eto. Hefo pwy oedd o'n siarad?

Doedd neb ond y fo yno. Ac roedd o'n parablu'n ddig o dan ei wynt.

'Mi a' i . . . o 'ma. I ffwrdd—yn bell. Dydi . . . o ddim yn . . . deg!'

A dyna lle'r oedd o wedi gwisgo amdano—at ei anorac, ac yn llenwi bag plastig o'r cwpwrdd bwyd. Pethau fel tuniau bêc bins a sbageti, paced bisgedi, a hanner torth o'r bin bara hefyd. Wel, roeddwn i mewn cyfyng-gyngor beth i'w wneud, achos roeddwn i'n siŵr erbyn hyn mai cerdded yn ei gwsg roedd o.

Tybed ddylwn i ei ddeffro? Roedd yna lyfr meddygol ar y silff lyfrau yn y lolfa, ond doedd gen i ddim amser i bori ynddo fo am gyngor. Doedd dim i'w wneud ond mentro.

'Llŷr!' meddwn i gan fentro'n dawel i'r gegin. 'Tyrd yn ôl i dy wely.'

Mi neidiodd Llŷr fel petai llew y tu ôl iddo fo.

'Ysbïo rwyt ti. Busnesu,' medda fo'n wgus. 'Sgin ti ddim hawl.'

Mi deimlais fy hun yn ymlacio. Doedd dim angen bod yn ddélicet hefo'i deimladau os oedd o'n berffaith effro.

'A beth wyt ti'n ei wneud, y cena bach?' meddwn i'n grac. 'Cael gwledd ganol nos?'

'Casglu pethau i fynd o 'ma fory,' medda fo. 'Hefo Brechdan.'

Problemau! Does 'na ddim diwedd arnyn nhw yn y byd 'ma.

'Fedri di ddim gwneud peth felly,' meddwn i.

'Medra.'

'Wel, na fedri siŵr. I ble'r ei di?' holais yn rhesymol. 'Mae hi'n ganol gaea. Mi rewi'n gorn.'

Mi fedrwn weld oddi wrth ei wyneb nad oedd o wedi sylweddoli hynny.

'Rhew ac eira, gwynt a glaw,' meddwn i gan rwbio'r ffeithiau i mewn. 'Maen nhw i gyd allan yna. A fydd gen ti ddim gwely cynnes, na thân na dim.'

'Ond mi fydd Brechdan gen i, bydd?' medda fo'n ansicr.

'Ond mae Brechdan eisio lle cynnes a digon o fwyd fel pawb arall,' meddwn i.

(Dew! Roeddwn i'n rhesymol a chall ac am fod yn seiciatrydd o fri rhyw ddiwrnod.)

'Ond be wna i? Rydw i eisio Brechdan. Dydi o ddim yn deg.'

A dyma fo'n dechrau crio o ddifri. Mi fedrwn weld fod pethau'n mynd o ddrwg i waeth, ac erbyn hyn roeddwn i wedi sylweddoli nad oeddwn i'n gwisgo fy ngwnwisg, ac mi roeddwn i bron â rhynnu a 'nannedd i'n dechrau clecian, heblaw fy mod i jest â byrstio eisio mynd i'r toiled.

A pham roedd yn rhaid i mi gario pwysau problemau pobl, a minnau'n llwythog hefo fy rhai fy hun?

Mi glywn Rhodri'n crio yn y llofft.

'Yli,' meddwn i. 'Mi lenwa i'r tegell, a mynd i nôl fy ngwnwisg. Mi gawn ni siarad wedyn.'

'Ond rydw i'n mynd fory 'run fath,' meddai Llŷr.

'Iawn,' meddwn i'n reit dan din, a finna'n gwybod fy mod i am drosglwyddo popeth i ddwylo Mam a Dad. Eu mab nhw oedd o.

Mi frysiais i'w llofft. Roedd Mam yn llwyeidio Calpol i geg Rhodri.

'Imerjensi,' meddwn i. 'Llŷr yn gadael cartre.'

'Be?' medda Dad gan saethu ar ei eistedd.

'Lawr y grisiau rŵan yn pacio,' meddwn i.

Mi sodrodd Mam Rhodri yn fy mreichiau, ac mi neidiodd Dad o'r gwely. A chyn pen chwinciad roedd y ddau'n carlamu i lawr y grisiau.

'Wel!' meddwn i uwchben Rhodri. 'Dyna be ydi ymateb i argyfwng, yli. Rŵan dos dithau'n ôl i gysgu, ac mi a' inna i lawr atyn nhw i weld sut maen nhw'n ymdopi.'

Ac mae'n rhaid fod gen i ffordd hefo babis, er nad ydw i'n bwriadu goleuo neb ynghylch fy medrus-rwydd, achos mi wenodd Rhodri'n glên arna i, ac wedi imi'i roi'n ôl yn y cot, mi setlodd yn syth.

Mi gofiais fy mod i jest â byrstio, a rhedeg i'r toiled cyn carlamu i ymuno â'r miri unwaith eto. Ddim eisio colli dim o'r datblygiadau, nac oeddwn?

'Yli, Llŷr,' meddai Dad fel roeddwn i'n rhuthro i mewn. 'Dyma ddigon o'r nonsens 'ma. Does ganddon ni ddim lle i gi. A beth tasa fo'n brathu Rhodri wedi i hwnnw ddechrau cropian?'

'Mi ddysga i Brechdan i beidio,' addawodd Llŷr yn daer.

Mi fedrwn weld oddi wrth wynebau'r ddau eu bod nhw ar goll yn lân wrth glywed y gair 'Brechdan'.

'Brechdan. Enw'r ci,' meddwn, i hybu'u dealltwriaeth. 'Llŷr wedi'i enwi o.'

Mi edrychodd y ddau ar ei gilydd. Mi allwn daeru fod 'na wên yn llygaid y ddau, a'u bod nhw'n trio eu gorau i gadw wyneb syth.

'Ymm . . . Brechdan!' medda Dad yn edrych yn ddifrifol i lygaid Mam.

'Brechdan!' medda Mam mewn rhyw lais breuddwydiol a throi ei chefn am eiliad.

Mi fedrwn weld ei hysgwyddau'n ysgwyd. Chwerthin, 'ta chrio?

'Ia—a mae o'n adnabod ei enw hefyd,' meddai Llŷr. 'A byth yn pi-pi ar lawr na dim. Ac os na cha i o, mi fydd yn rhaid iddo fynd i gartre cŵn. A hefo fi mae Brechdan eisio bod.'

A dyma fo'n estyn paced arall o fisgedi o'r cwpwrdd a'i roi yn y bag plastig, cyn troi am y drws.

'Lle'r wyt ti'n mynd?' holais.

'Rhoi'r rhain yn y sièd yn barod at fory,' medda fo.

Mi fedrwn weld bod Mam a Dad yn prysur feddalu. Ac roedd Llŷr wedi sylwi hynny ers meitin hefyd, y cena llygadog iddo fo.

'Wel . . .' medda Dad gan edrych ar Mam.

'Wn i ddim,' medda Mam gan edrych ar Dad.

'Mentrwch,' meddwn inna gan dywallt dŵr i'r tebot.

'Mi fydd rhaid iddo gysgu yn y sièd,' rhybuddiodd Mam.

'A rhaid i tithau fynd â fo am dro, a'i fwydo, a

gofalu nad aiff o'n agos at Rhodri,' medda Dad. 'A derbyn llai o bres poced hefyd er mwyn ei fwydo fo.'

Mi newidiodd wyneb Llŷr wrth glywed sôn am lai o bres poced, ond mi wenodd o glust i glust yn syth bin wedyn. Meddwl y buasai Dad yn trugarhau a phrynu fferins iddo, debyg—neu fi, neu Mam, neu Nain!

'Rydw i'n *addo*,' medda fo.

Ys gwn i faint o werth sydd mewn addewid er mwyn cael eich ffordd eich hun?

Roedd Nain yn wfftio pan glywodd hi'r newydd bore trannoeth.

'Ildio i blentyn ydi peth fel'na,' medda hi. 'Rhywbeth na wnes i erioed.'

Ond pan gyrhaeddodd Llŷr a Dad hefo Brechdan amser te, mi newidiodd ei chân hithau.

'Peth bach digon del,' medda hi gan ddal ei ffon fel bidog rhag iddo ddŵad yn rhy agos. 'Dy daid yn licio ci erioed,' medda hi wedyn gan feddalu rhagor.

A syrpreis y flwyddyn! Dyma hi'n mynd i'w bag llaw ac yn estyn punt i Llŷr!

'I brynu coler iddo fo, yli,' medda hi.

Mi aeth yr holl sylw'n drech na Brechdan, ac mi bidlodd lyn bach reit ddel ar y carped.

'Rhed i nôl y cadach, Gwenno,' medda Mam.

'Dim ffeiars,' meddwn i yn barod i ddechrau rhyfel cartre'n syth. 'Ci Llŷr ydi o. Ac mae gen i lond sach o waith cartre.'

Ac mi ddiflannais am y llofft, gan ddiolch o galon i Robin Goch a Wati Welsh a'r holl athrawon eraill oedd wedi pentyrru gwaith ar fy ysgwyddau, a phob un ohonyn nhw'i eisio fo ar y troad yn ddi-ffael.

Ond wedi imi gyrraedd y landin, eistedd ar y gwely gwersyllu wnes i a theimlo jest â chrio wrth gofio am y diwrnod ofnadwy rôn i wedi'i gael yn yr ysgol. Derec

Wyn yn sbio arna i fel taswn i ddim yno, a Mandy Webb yn gafael yn fy mraich a sibrwd bod yn ddrwg iawn ganddi am yr hyn oedd wedi digwydd, ac os oedd yna rywbeth allai hi 'i wneud i wella pethau, wel, 'gofyn ti . . . Gwenno'. A Gwen yn bihafio fel tasa hi wedi darganfod ffortiwn annisgwyl! (Wel, mi roedd hi, doedd, wedi iddi fachu Derec Wyn!)

'Anwybydda hi,' cynghorodd Siw. 'Dim ots. Mi gei afael ar rywun arall cyn bo hir.'

Digon hawdd iddi hi siarad. Mae Prysor mor ffyddlon ag erioed, ac yn edrych fel tasa fo eisio'i bwyta hi bob tro mae'r ddau hefo'i gilydd, nes rydw inna'n teimlo fel sgrechian.

Weithiau, rydw i'n siŵr fy mod i wedi gwneud y peth iawn wrth orffen hefo Derec Wyn. Bachgen hunanol ydi o, ac eisio ei ffordd ei hun bob amser. Ac yna mae 'na don o hiraeth yn dŵad trosta i, ac rydw i'n cofio am y teimlad bendigedig hwnnw yn ei freichiau, fel petawn i'n toddi i'w gorff, ac eisio aros yno am byth.

Roeddwn i'n teimlo'n unig iawn wrth eistedd ar y gwely landin. Roedd pawb yn siarad uwchben Brechdan lawr grisiau, a doedd neb yn malio dim amdana i, a finna bron â boddi mewn tristwch. A'r hyn oedd yn brifo'n fwy na dim, doedd 'run ohonyn nhw wedi sylwi ar fy nhorcalon!

Gafael ynddi, Gwenno Jones, meddwn i wrthyf fy hun. Paid â gadael i bwysau bywyd fynd yn drech na chdi. Ond mi fedrwch bregethu 'dal ati' ganwaith wrthych chi eich hun, a hynny'n tycio dim.

Mi agorais fy llyfrau ysgol a rhyw how sbio arnyn nhw. Ond doedd fy nghalon i ddim yn y gwaith rywsut. Roedd Llŷr wedi gweiddi digon nad oedd pethau'n deg pan oedd o jest â marw eisio Brechdan, ac roeddwn inna'n teimlo fel gweiddi 'run peth hefyd.

Doedd bywyd ddim yn deg. Byth yn deg i Gwenno Jonsys y byd 'ma.

Ond dydw i ddim yn un i orwedd i lawr o dan bwysau bywyd yn hir. Ac mi godais a mynd i lawr y grisiau yn barod i wynebu'r bywyd teuluol.

'Wedi gorffen dy waith cartre'n barod, Gwenno?' holodd Dad.

'Dŵad lawr am baned,' meddwn i'n esgusodol.

'Ma'r hogan yn rhedeg i bawb,' medda Nain. 'Hen bryd iddi gael yr atig yn barod, a chael symud o'r gwely landin yna.'

Roeddwn i'n teimlo fel gweiddi 'hwrê' wrth glywed ei geiriau, ond tybed oedd Nain yn sylweddoli mai yn fy llofft fy hun fuaswn i, oni bai ei bod hi wedi mynnu gadael y Cartre?

'Gwna baned inni i gyd, Gwenno,' medda Mam. 'A dos ditha â Brechdan i'r sièd, Llŷr,' gorchmynnodd.

Mi ufuddhaodd Llŷr fel oen bach. A chyn imi orffen gwneud y baned, roedd o'n ei ôl a golwg ddigalon ar ei wyneb.

'Dydi Brechdan ddim yn licio yn y sièd,' medda fo. 'Mae o'n crio!'

Ac erbyn inni'i gyd wrando, roedd yna sŵn wylofain ac udo ofnadwy yn dŵad o'r sièd, a hwnnw'n cynyddu i uchafbwynt torcalonnus bob yn hyn a hyn.

'Mewn lle dieithr mae o,' medda Mam yn ansicr. 'Mi fydd wedi arfer toc.'

Ond roedd yn amlwg nad oedd Brechdan o'r un farn. Doedd yna ddim diwedd ar y cynadu wylofus a ddeuai o'r sièd. Yn feddylgar, mi droais i'r teledu ymlaen, rhag i neb ei glywed.

Ond mi drodd Mam y sŵn i lawr, a dyna lle'r oedden ni'n fintai glustfeiniol yn gwrando fel tasa ganddon ni ddim arall i'w wneud am y gyda'r nos.

'Fedra i ddim diodda hyn,' medda Mam o'r diwedd. 'Dos i'w nôl o, Llŷr.'

'Iawn,' medda Llŷr yn wên i gyd.

'Jest am heno,' medda Mam mewn llais ymddiheurol. 'Nes bydd o wedi arfer.'

Mi welais Nain yn agor ei cheg, ond ddywedodd hi 'run gair. Ac mi ddaeth Llŷr yn ei ôl a Brechdan fel gwiwer fywiog yn ei freichiau.

'Mae o wedi stopio rŵan,' medda fo.

'Wel, do siŵr,' meddwn i'n reit grac. 'Wedi cael ei ffordd ei hun mae o.'

Ac mi edrychais i'n reit awgrymog ar Mam a Dad, er mwyn iddyn nhw sylweddoli fy mod i'n cyfeirio at Llŷr hefyd. Ond chymerodd y ddau ddim arnynt ddeall.

A'r diwedd oedd fod Brechdan yn cael cysgu mewn bocs a blanced flewog yn y gegin, a chyda chloc larwm yn tic tician wrth ei ochr, am fod Dad wedi darllen yn rhywle fod hynny'n help i gŵn bach setlo.

Ond prin roedden ni i gyd yn ein gwelyau, nad oedd Brechdan yn mynd trwy'i berfformans eto. Mi benderfynais nad oeddwn i am symud troed allan o'r gwely landin, a chladdu fy mhen o dan y pilw a smalio cysgu.

Mi glywn Dad yn codi ac yn mynd i lawr y grisiau. Ac wedi rhyw bum munud, mi ddringodd yn ôl drachefn. Ond cyn gynted ag y cyrhaeddodd o'r landin, dyma'r perfformans lawr grisiau yn dechrau eto.

'Blydi hel!' tyngodd Dad o dan ei wynt.

Mi gilagorais fy llygaid a'i weld mewn cyfyng-gyngor ar ben y grisiau. Ond chymerais innau ddim arna fy mod i'n effro.

'Gwenno!' meddai Dad yn obeithiol.

Ond roeddwn i'n cysgu'n sownd, doeddwn!

Ochneidio ddaru Dad a mynd i'r llofft at Mam. Mi'u clywn i nhw'n trafod beth i'w wneud, ond fe roes Mam ei throed i lawr yn y diwedd.

'Mae o wedi cael dŵad i'r gegin,' meddai hi. 'Ond ddim un cam pellach. Rhaid iddo ddysgu.'

Roedd fy nerfau i'n rhacs ymhell cyn y bore. Roedd yn amlwg fod gan Brechdan benderfyniad mwy na'r cyffredin, achos roedd o'n cyhoeddi'i deimladau briw bob tro roeddwn i'n hanner deffro a rhoi tro yn fy ngwely. Ond, wrth gwrs, mi gysgodd Llŷr fel planc trwy'r nos.

Mi gafodd pawb groeso mawr gan Brechdan amser brecwast. Ond mi welwn wefusau Mam yn miniogi wrth weld y pidlan diddiwedd wrth iddo gyffroi cymaint.

'Dos â fo allan, wir, Llŷr,' medda hi.

Ac allan y bu'n rhaid iddo fynd. Ond jest fel roedden ni i gyd yn ymlacio i fwyta'n tost a grawnfwyd, dyma sŵn poeri a ffraeo a chwyno o'r ardd.

'Be gebyst . . .?' cychwynnodd Dad gan ruthro am y drws a phawb arall ar ei ôl.

A dyna lle'r oedd Modlan, cath Mr Preis drws nesa, yn ei ganddo hi reit o flaen trwyn Brechdan, a blew ei chefn fel twmpath eithin. Ac roedd ôl cripiad egr ar drwyn Brechdan.

'Shiw, hen gath annifyr!' gwaeddodd Llŷr.

Roedd gen i gydymdeimlad mawr â Modlan er ei bod hi wedi cripio Brechdan. Y hi oedd yma gynta, 'tê? Ac roedd hi wedi arfer cerdded ein gardd ni fel petai hi gartre, er bod Mam wedi'i gwahardd o'r tŷ.

Ond wrth weld cymaint o bobl yn sbio'n gas arni, mi gymerodd Modlan y goes a gadael Brechdan yn cwyno a phidlan bob yn ail ar lwybr yr ardd.

'Fedr o ddim aros allan, Mam,' honnodd Llŷr. 'Mae Modlan wedi'i frifo fo.'

Mi fedrwn weld bob Mam yn difaru'n arw iddyn nhw wangalonni pan oedd Llŷr am fynnu gadael cartre. Ond roedd hi'n rhy hwyr rŵan!

'Gad ddrws y sièd yn agored iddo fo, a rho'r bocs a'r blanced yno, Llŷr,' gorchmynnodd gan droi'n ôl am y tŷ.

Roeddwn i'n teimlo'n reit falch o gael gadael ar ôl brecwast, er mai'r ysgol a Derec Wyn a phawb oedd yn fy wynebu.

'Teimlo'n well?' holodd Siw yn deimladwy fel y disgynnais i sedd y bws wrth ei hochr.

A dyma hi'n cipedrych ar fy wyneb.

'Dew,' medda hi. 'Mae gen ti gysgodion o dan dy lygaid.'

'Cysgodion fuasa gen titha hefyd, tasat ti wedi diodda Brechdan yn crio trwy'r nos.'

'Brechdan?'

Roedd wyneb Siw yn bictiwr dryslyd.

'Pwy 'di hwnnw?'

A dyna'r funud gyntaf imi gofio nad oeddwn wedi sôn gair wrthi am Llŷr a Brechdan. Wel, mi fu digon ar fy meddwl i, heblaw am y diwrnod o ddiodda gefais i yn yr ysgol.

'Ci bach Llŷr,' meddwn i. 'Brechdan.'

Mi roes Siw floedd o chwerthin.

'Am enw,' medda hi.

A dyma hi'n dechrau parablu am enwau od cŵn oedd hi'n eu cofio, nes roeddwn i bron â drysu o ddiflastod. Ac mae'n rhaid bod fy nistawrwydd llethol i wedi treiddio i'w hisymwybod o'r diwedd, achos dyma hi'n ei hatal ei hun, ac yn ailedrych arna i.

'Wyt ti'n barod i wynebu Derec Wyn?' holodd.

'Dim dewis gen i, nac oes?' meddwn i'n benisel.

'Nac oes,' cytunodd Siw. 'Ond gwena, wnei di. Paid â dangos iddyn nhw sut wyt ti'n teimlo.'

Haws dweud na gwneud oedd peth felly. Ond mi driais fy ngorau. Ac mi ddyffeia i neb i ddweud bod golwg ddigalon arna i am eiliad o'r dydd, achos mi roeddwn i'n gwenu a siarad a chadw reiat nes i Robin Goch ddechrau dwrdio.

'If you'd only put as much effort into your school work, Gwenno Jones,' medda hi, *'you might get somewhere.'*

Mi welwn Gwen yn gwenu y tu ôl i'w bysedd ac yn sbio'n slei arna i. Ond dal i wenu wnes i a phenderfynu y buaswn i'n diodda'r artaith mwyaf cyn y buaswn i'n dangos iotyn o fy nheimladau briw.

'Roeddet ti'n grêt,' cysurodd Siw yn y bws ar y ffordd adre. 'Mae gen i syniad,' medda hi wedyn gan afael yn dynn yn fy mraich.

'Be?' holais inna heb fawr o ddiddordeb.

'Mi awn ni at y ddynes dweud ffortiwn yn y dre,' medda hi'n llawn brwdfrydedd. 'Mi gei wybod dy ddyfodol wedyn.'

'Wyt ti'n coelio mewn peth felly?' holais inna'n ddrwgdybus.

'Fyddwn ni ddim yn gwybod heb drio, yn na fyddwn,' medda hi.

Doeddwn i ddim yn siŵr a oeddwn i eisio mentro ai peidio. Beth tasa hi'n dweud wrtha i mai hen ferch fyddwn i, ac na fuaswn i'n cael cariad byth eto? Ac er fy mod i'n credu'n gryf mewn hawliau merched, ac er nad oedd bod yn ddynes fusnes sengl i'w ddibrisio am eiliad, rywsut doeddwn i ddim yn barod i ffarwelio â llond gwlad o gariadon y dyfodol y funud honno. Yn nes ymlaen, wedi imi ddŵad yn enwog a chyfoethog, a chael cyfle i daflu ugeiniau ohonyn nhw o'r neilltu—ia! Ond taflu fy amheuon i'r gwynt wnes i.

'Iawn, 'ta,' meddwn i'n dalog. 'Pryd?'

Roeddwn i'n gweithio yn Mwclis Pert fore Sadwrn, ac roedd Siw wedi trefnu inni'n dwy weld y ddynes yn y pnawn.

'Barod?' holodd pan es i'r caffi i'w chyfarfod.

Roedd 'na gryndod rhyfedd yn fy nghoesau pan gyrhaeddon ni'r drws.

'Dydw i ddim yn siŵr ydw i eisio,' meddwn i'n reit wangalon.

'Twt,' medda Siw a rhoi ei bys ar y gloch. 'Mae hi'n rhy hwyr rŵan.'

Wn i ddim sut ddynes roeddwn i'n disgwyl ei gweld. Rhywun wedi'i gwisgo mewn dillad lliwgar i lawr at ei thraed, a hances am ei phen a chlustdlysau anferth yn crogi o'i chlustiau, am wn i. Ond dynes fach dympi, gron a'i gwallt yn frith a agorodd y drws. Mi edrychodd braidd yn syn arnon ni.

'O, *dwy* ohonoch chi!' medda hi gan droi i arwain y ffordd i dywyllwch y lobi.

Mi afaelais ym mraich Siw wrth i'r gwir fy nharo.

'Ddeudaist ti ddwy wrthi?' holais.

'We-el!' medda Siw yn euog.

'Dwyt ti ddim am gael dweud dy ffortiwn,' cyhuddais. 'Bradwr!'

'Dw i ddim angen, nac ydw?' medda Siw. 'Am briodi Prysor, tydw?'

Mae llawer i godwm cyn cyrraedd, meddwn i wrthyf fy hun.

'Os nad wyt ti eisio dy ffortiwn, dydw inna ddim chwaith,' meddwn i.

'O, ol-reit, 'ta,' medda Siw yn reit anewyllysgar.

Y fi aeth i mewn gyntaf.

'Eisteddwch, 'ngeneth i,' medda'r ddynes.

A dyma hi'n gafael mewn pac o gardiau.

'Cardiau "Tarot" ydi'r rhain,' eglurodd.

Doeddwn i ddim callach.

'O, ia,' mwnglais a 'nghalon yn curo.

Beth tasai hi'n darogan damwain fory nesa? Mi fyddwn i ormod o ofn codi o'r gwely landin.

'Rŵan, rydw i eisio ichi afael yn y pac cardiau a'u cymysgu heb edrych ar yr wynebau. Wedyn, trefnwch nhw'n chwe phentwr o saith cerdyn yr un.'

Roeddwn i'n dechrau meddwl mai fi oedd yn gwneud y gwaith i gyd, a hithau am gael arian, a hynny ddim ond am roi gorchmynion.

Ond wedi imi ufuddhau, dyma hi'n gosod y saith pentwr yn saith rhes wynebau at i fyny, ac yn dechrau arni.

'Pethau sydd wedi digwydd yn y gorffennol sydd yn y rhes gynta 'ma,' eglurodd eto.

Tybed fedrai hi weld Derec Wyn yn y cardiau, a'r holl ddioddefaint gefais i rhwng Mandy Webb a phopeth?

'Mae un person a fu'n bwysig iawn yn eich bywyd,' medda hi.

Whiw! Mae hi wedi gweld Derec Wyn, meddyliais, a 'nghalon yn curo.

'Person ifanc?' medda hi ac edrych yn graff arna i.

Pwy oedd yn dweud y ffortiwn? Y hi, 'ta fi? Mi bletiais fy ngwefusau'n dynn, yn union fel y gwnâi Nain. Dim cliw o fan'ma, mêt, penderfynais.

Mi symudodd ymlaen i res 2.

'Cymysglyd iawn ydi'ch bywyd ar hyn o bryd,' medda hi.

Wel, siŵr iawn. On'd oeddwn i yng nghanol problemau di-ri?

'Ymm . . . mae problemau gartre a phroblemau ysgol yma, a rhoswch chi . . . rhywun, rhywbeth newydd yn y cylch teuluol. Babi? Anifail? Neu berson o gymeriad cryf?'

'Efallai,' cytunais yn gyndyn er fy mod i wedi cael cryn ysgytwad. Roedd y tri ohonyn nhw yn ein tŷ ni!

'Ac mae 'na rywle newydd yn fan 'ma,' gan roi ei bys ar gerdyn. 'Gwireddu eich dymuniad.'

Mae hi wedi gweld yr atig, meddyliais a setlo fy hun i glywed rhagor.

Rhes 3, dylanwadau allanol—pethau na fedrwn i yn bersonol eu rheoli. Wel, roedd 'na ddigon o'r rheiny. Ac mi ddeudodd y gwir unwaith neu ddwy hefyd.

Rhes 4. Y dyfodol agos. Mi godais fy nghlustiau pan ddeudodd hi hynny.

Digon o brofiadau newydd ar fin fy nghyrraedd i, medda hi. Rhai buaswn i'n eu croesawu, ond rhai digon anghysurus hefyd.

Siwgr gwyn! Am beth roedd hi'n sôn?

Rhes 5. Digwyddiadau y medrwn i eu croesawu neu eu hosgoi. Roeddwn i'n glustiau i gyd!

Rhes 6. Y dyfodol pell.

'Mae 'na rywun . . . ymm . . . penfelyn yn fan'ma. Bachgen. Perthynas newydd sbon. Ond rydw i'n gweld perthynas glòs rhyngddoch chi. Clòs iawn hefyd. A hapusrwydd.'

Roeddwn i'n wên i gyd yn dŵad o'r ystafell.

'Be ddeudodd hi?' holodd Siw a'i hwyneb hi'n reit llwyd.

'Y gwir bob gair,' meddwn i. 'Dos yn dy flaen ati.'

Mi fedrwn weld bod Siw mewn cyfyng-gyngor. Ond mi roddais hwyth reit dda iddi i gyfeiriad drws y parlwr, ac eistedd yn ôl i'w disgwyl, ac i drio cofio'n union beth ddywedodd y ddynes.

Efallai y dylwn i fod wedi mynd â phensel a phapur hefo mi, er mwyn cofio'n iawn.

Mi ddaeth Siw allan o'r diwedd.

'Soniodd hi'r un gair am Prysor,' medda hi'n

siomedig fel y cerddon ni i lawr y stryd. 'Soniodd hi am Derec Wyn?'

'Dweud y bydda i'n cyfarfod bachgen newydd. Pishyn hefo gwallt melyn, a bod 'na lot o hapusrwydd o fy mlaen,' meddwn i.

Mynd adre wnes i, a cheisio penderfynu tybed oeddwn i wedi gwastraffu f'arian, 'ta'u gwario nhw'n gall!

Mae'r gweithwyr wedi gadael, ac mae'r atig wedi'i gorffen. A chan fod Dad yn dal mewn swydd, mae o wedi talu am y gwaith hefyd, er bod Nain wedi dadlau'n gryf y buasai hi'n gwneud â chroeso. (Rhyfeddod y Deyrnas a hithau mor dynn hefo'i harian!)

'Digon buan i chi ddechrau talu, Mam, os ca i fy niswyddo,' medda Dad.

Mae golwg ar bigau'r drain arno fo, ac ar Mam hefyd. Does dim byd gwaeth na pheidio gwybod beth sydd am ddigwydd. Efallai y dylen nhw fynd at y ddynes dweud ffortiwn! Ond mae'n well imi beidio sôn am honno, neu mi fydd y ddau'n dechrau tantro.

Ac mae 'na ddigon o ddweud y drefn a deddfu yn y tŷ 'ma. Byth ers pan mae Brechdan wedi'n cyrraedd ni. Dydi hwnnw ddim yn gwybod y gwahaniaeth rhwng toiled a charped, a fedr neb ei ddysgu chwaith.

Mae Dad wedi rowlio papur newydd a rhoi sawl slap fach ar ei drwyn wedi iddo bidlannu'i ffordd o gwmpas y gegin. Ond hwyl ydi popeth i Brechdan. Ac mi hanner llarpiodd y papur a thynnu a chwyrnu fel tasa fo'n lladd y gelyn mwyaf, a phan ollyngodd Dad y rholyn o'r diwedd, fuo Brechdan fawr o dro yn ei falu'n ddarnau soeglyd a'r rheiny'n drwch o dan draed. A wnaeth o ddim bodloni ar hynny—roedd yn rhaid iddo gael llyncu sawl un ohonyn nhw, a bygwth cyfogi droeon ar y mat wedyn.

'ALLAN!' bloeddiodd Mam, bron â chyrraedd pen ei thennyn.

'Mi ddeudais i mai fel hyn y byddai hi,' sylwodd Nain. 'Nid yn y tŷ mae lle ci bach.'

A phwy feddalodd a rhoi punt yn anrheg i Llŷr, ys gwn i—a 'run geiniog i mi?

Rydyn ni'n disgwyl Dad adre bob nos, ac yn croesi'n bysedd wrth ei weld yn cerdded am y drws. Mewn gwaith—'ta allan? Hyd yn hyn, mewn ydi hi. Ond mae pethau'n ddyrys iawn tua'r cwmni, medda Dad, ac os na wnân nhw wella'n fuan, mi fydd rhaid cau'r drysau a galw'r derbynwyr i mewn.

Mae Nain wedi prynu carped i'r atig er bod Dad yn dadlau'n gryf yn erbyn.

'Mi wnaiff Gwenno'n iawn hefo llawr coed,' medda fo. 'Rhoi staen ar y bordiau, a mat bach wrth y gwely.'

'Ma'r hogan yn haeddu gwell,' meddai Nain. 'Mae hi'n helpu digon.'

Hwrê, Nain! Mi fydda i'n teimlo fel ei chofleidio weithiau!

Mi fuo mi wrthi trwy'r penwythnos yn cludo fy mhethau i'r atig. Ac mae'r lle'n reit ddel hefyd, wedi imi gael cyfle i drefnu popeth yn iawn, a gwahardd Llŷr rhag rhoi troed yn agos i'r lle.

'Fy atig i ydi hi. Dallt?' meddwn i'n flin. 'Ac mi fydd gen ti lofft fawr i chdi dy hun wedi i Nain symud i'r estyniad.'

Mi fûm i'n eistedd ar y gwely ac yn edrych trwy gant a mil o bethau oedd gen i yn y drôr. A beth welais i? Syrpreis y flwyddyn! Yr hen addunedau hynny pan oeddwn i'n boddi mewn cariad â Derec Wyn. (Wel, dydw i ddim yn siŵr ydw i wedi cyrraedd y lan eto chwaith!)

Ac mi orweddais yn ôl a rhwbio deigryn bach o gongl fy llygaid a'u darllen.

Penderfyniad Gwenno Jones, pedair ar ddeg ond deufis, sydd yn ei llawn bwyll a'i synhwyrau arferol . . . ac a sgrifennwyd ganddi hi ei hun am 10.30 o'r gloch y bore, ar y cyntaf o Ionawr, ar ddechrau blwyddyn dyngedfennol yn ei bywyd.

1) Rydw i am garu Derec Wyn tra bydda i byw. *Mi driais fy ngorau, ond roedd amgylchiadau'n drech na fi.*
2) Rydw i am weithio'n galetach yn yr ysgol—am fod digon ym mhen Derec Wyn, a dydw i ddim eisio ymddangos yn dwp. *Does ots gen i faint sydd yn ei ben o!*
3) Rydw i am fynd i weld Nain Tawelfa'n amlach, er ei bod hi'n grintachlyd ac yn finiog ei thafod. *Rydw i'n 'i gweld hi bob dydd, ac yn dallt Nain i'r dim. Weithiau!*
4) Wna i ddim ffraeo hefo Llŷr—hynny ydi, os bihafith o, a pheidio â thynnu'n groes. *Dydi bihafio ddim yng nghyfansoddiad Llŷr!*
5) Rydw i am ymdrechu i guddio fy niflastod hefo'r babi newydd. *Mae'i wên yn prysur doddi fy nghalon. Ond dydw i ddim am ddweud wrth neb!*
6) Rydw i am gofio am bobl newynog y byd—ac am wneud rhywbeth, wn i ddim be eto. *Chefais i ddim eiliad i gofio am ddim ond fy mhroblemau fy hun. Tybed ydw i'n hunanol?*
7) Rydw i am lanhau fy llofft bob wythnos, ac am gadw fy nillad yn dwt yn y wardrob. *Mi fydd yr atig yma'n werth ei gweld!*
8) Rydw i am gadw'n heini a byw yn iach—er mwyn Derec Wyn a'r sgert ddu. *Ma'r sgert ddu yng nghefn y wardrob, a does gen i ddim gobaith ffitio iddi. A does ots gen i am Derec Wyn.*
9) Rydw i (fedra i ddim peidio ag ailadrodd fy hun)

am garu Derec Wyn tra bydda i byw. *Rydw i wedi callio!*

Mi orweddais a'r addunedau yn fy llaw am funudau hir . . . yn cofio . . . ac ailflasu carwriaeth blwyddyn gyfan. Mi roddais i sniff neu ddwy ddigon digalon, cyn rhwygo'r addunedau yn eu hanner a'u taflu i'r bin.

Dyna ddiwedd ar y rheina, meddyliais yn gryf. Bywyd newydd—a chariad newydd rywle yn y dyfodol. Os medra i goelio'r ddynes dweud ffortiwn!

Mae diwrnod fy mhen blwydd wedi gwawrio! Pymtheg oed! Rydw i'n hen! A pheth ofnadwy ydi bod yn bymtheg oed, a dim cariad gen i. Ys gwn i pa mor hir fydd y cariad newydd yna cyn fy nghyrraedd?

Roedd yna bentwr bach o gardiau ar y bwrdd brecwast. Ac roedd hyd yn oed Nain wedi codi i ddathlu'r amgylchiad. (Fuaswn i ddim wedi medru diodda estyn ei dannedd gosod ar ddiwrnod fy mhen blwydd!)

'Pen blwydd hapus, Gwenno,' medda Mam a rhoi cusan imi. (Dew!)

'Ia, Pen blwydd hapus,' ategodd Dad, a Nain, a Llŷr.

Mi agorais yr amlenni. Sioc! Roedd yna ddecpunt oddi wrth Nain.

'Dew! Nain,' meddwn i. 'Decpunt! Diolch.'

A dyma fi'n codi i roi andros o gusan iddi.

'Ia, wel, rwyt ti'n haeddu,' medda hi. 'Ac ella y gwnei di helpu i drefnu fy mhethau yn yr estyniad 'na sydd gen i.'

Rhoi er mwyn cael! Ond . . .

'Iawn,' meddwn i gan estyn am yr amlen nesa.

Oddi wrth Mam a Dad. Ugain punt 'run fath â

llynedd. Dew! Roedd fy sefyllfa ariannol i'n gwella! Ond beth am y system grynoddisgiau? Siomiant eto!

Yna mi estynnodd Llŷr barsel imi.

'Oddi wrtha i,' medda fo. 'Ac mae o wedi costio *lot*!'

Sebon o Boots! Wel, mae'n rhaid ymolchi cyn wynebu'r dyddiau!

Mi ddiolchais i bawb eto, cyn troi at yr amlenni eraill. Cardiau oddi wrth Iwan a Rhun, a swsus ar waelod y ddau. (Dydi hi ddim ar ben arna i yn y byd cariadol, nac ydi?)

Roedd un cerdyn ar ôl. Mi roes fy nghalon dro annifyr wrth weld y sgrifen. Derec Wyn! Roedd fy mysedd yn crynu wrth ei agor.

Pen blwydd hapus iawn iti, Derec Wyn, oedd arno, a 'run sws yn agos iddo. Wel, dyna ddangos fod popeth ar ben, 'tê?

Mi waeddodd pawb 'Pen blwydd hapus' pan ddringais ar y bws—a 'run fath â llynedd, gwneud sylwadau am y gwallt gwyn oedd gen i a'r rhychau henaint oedd ar fy nhalcen. Mi fuo bron imi egluro nad rhychau henaint oedden nhw, ond rhychau poen colli cariad. Ond cau fy ngheg oedd orau imi.

Wrth gwrs, mi gefais i gerdyn ac anrheg gan Siw. Un o'r sgarffiau blodeuog 'na i'w throelli am eich gwddf hefo crys chwys. Wedi gweld y darlun mewn cylchgrawn, medda hi, ac wedi penderfynu ei bod hi'n amser iddi hi a finna fod yn ffasiynol berffaith.

Roedd Derec Wyn yn sefyll wrth y drws pan gyrhaeddais. Mi hanner gwenodd pan welodd o fi.

'Pen blwydd hapus, Gwenno,' medda fo'n annifyr.

'Diolch,' meddwn i'n reit fawreddog. 'A diolch am y cerdyn.'

'Iawn,' medda fo'n fwy annifyr fyth.

Ond doedd gen i ddim awydd loetran rhagor—hefo

hen gariad. A dyma fi'n cychwyn hefo Siw ar hyd y coridor.

'Ac mi anfonodd gerdyn?' holodd Siw yn syn. 'Ydi o eisio cymodi? Wyt ti?'

'Dim ffeiars,' meddwn i. 'Hen hanes erbyn rŵan.'

'Dew, mi rwyt ti'n gryf,' medda Siw. 'Mi fuaswn i'n penlinio'n ffordd yn ôl at Prysor.'

'Mwya ffŵl chdi,' meddwn i'n siort. 'Does 'run bachgen ei werth o.'

Ond dweud er mwyn fy nghysuro fy hun oeddwn i. Mae bywyd heb gariad fel paced creision gwag. Waeth ichi heb â phalfalu yn y gwaelod, does dim yna!

Mae'r gwaethaf wedi digwydd. Y fwyell wedi syrthio. Dinistr wedi'n cyrraedd ni!

Mae'r derbynwyr i mewn a Dad wedi colli'i swydd. Unwaith eto!

Roeddwn i'n digwydd bod wrth y ffenestr pan gyrhaeddodd adre. Ac mi ddeallais yn syth fod pethau'n edrych yn reit ddu arnon ni.

'Dad!' meddwn i'n gydymdeimlad i gyd wrth agor y drws.

'Ia, Gwenno,' medda fo'n drymaidd. 'Y derbynwyr i mewn heddiw. Colli'n swydd am yr eildro. Lle mae dy fam?'

'Yn y gegin,' meddwn i.

Ond roedd Mam wedi dŵad trwodd ac yn syllu'n wannaidd i'n cyfeiriad.

'Ydi o wedi digwydd, Myrddin?' meddai fel petai'i thafod yn methu dweud y geiriau.

'Ydi,' medda Dad yn foel.

'O, Myrddin!'

Rywsut, roedd y ddau ym mreichiau'i gilydd, ac mi ddechreuais innau deimlo na ddylwn i fod yno'n llygad-dyst i'w teimladau.

Mi'i gwadnais hi i'r lolfa at Nain.

'A be sydd arnat ti?' holodd honno'n graff wrth weld fy wyneb.

'Mae o wedi digwydd,' meddwn i'n wantan. 'Dad wedi colli'i swydd. Be wnawn ni rŵan, Nain?'

'Fedr neb fynd trwy fywyd heb ddringo mynydd profiad,' medda Nain gan ei chodi'i hun o'r gadair a gafael yn ei ffon yn benderfynol.

Wel, fedrwn i yn fy myw weld beth oedd a wnelo *mynydd* â dim, hyd yn oed os oedd o'n fynydd profiad. Ond mae Nain yn licio siarad mewn damhegion.

Mi'i dilynais hi fel ci bach am y gegin. Roedd Mam a Dad yn eistedd wrth y bwrdd erbyn hyn, a golwg benisel ddychrynllyd ar y ddau.

'Wel,' medda Nain a phloncio'i hun ar y gadair. 'Mi glywais i'r newydd. A be 'dach chi'n bwriadu'i wneud?'

Roeddwn i'n teimlo nad rŵan y dylai hi ofyn y fath gwestiwn. Ond tydi Nain ddim yn un i adael pethau heb neidio i mewn i'w setlo ar unwaith.

'Mae Myrddin yn siŵr o drio'i orau,' meddai Mam yn reit bigog. 'Ond pa siawns . . .?'

Mi fedrwn weld ei bod hi bron â chrio, ac mi ddechreuais deimlo'n ddig wrth Nain. Lle'r oedd ei chydymdeimlad hefo rhywun wedi'i daflu ar y domen ddiweithdra am yr eildro? A dim iotyn o fai arno fo!

'Sgin Dad mo'r help,' meddwn i'n reit gryf. 'Ffaith bywyd ydi diweithdra.'

Ac yna mi gofiais am yr ugain punt gefais i ar fy mhen blwydd. Ac er bod y ffasiwn aberth yn loes calon imi, fedrwn i ddim peidio â chynnig y cyfan yn ôl iddyn nhw. Mae pob ceiniog yn cyfrif pan 'dach chi'n ddi-waith.

'Gwenno bach. Tydi hi ddim mor ddrwg â hynna

arnon ni,' medda Dad rhwng gwenu a digalondid. 'Cadw dy arian rhag ofn na chei di fawr eto.'

Rhaid imi gyfaddef fy mod i'n ddiolchgar. Doeddwn i ddim yn ffansïo trosglwyddo fy ychydig gelc i grafangau y pwrs teuluol.

'Mi ddaw arian Tawelfa,' medda Nain yn gyndyn. 'A chan fy mod i'n cartrefu yma, mi ofala i am y biliau dros dro. Nes y cei di waith arall, Myrddin. A fydd hynny ddim yn hir, gobeithio.'

Mi fedrwn weld nad oedd hynny'n plesio llawer ar Dad a Mam. Nac ar Nain ei hun chwaith o ran hynny. Mae hi'n licio dal ei gafael yn ei harian.

'*Os* caiff Tawelfa ei werthu, Mam,' pwysleisiodd Dad. 'Dydi'r gwerthiant ddim yn sicr nes bydd yr arian yn cyrraedd y banc. A dydw i na Menai ddim eisio byw ar eich cardod chi.'

Mi bechodd hynny Nain yn ofnadwy.

'Teulu ydi teulu,' medda hi. 'A gobeithio 'mod i'n gwybod fy nyletswydd.'

Mi gyrhaeddodd Llŷr, a Brechdan wrth ei gwt.

'Brechdan eisio bwyd,' gwaeddodd fel petaen ni filltiroedd i ffwrdd. 'Ga i agor tun cig iddo fo?'

'Fydd 'na ddim llawer o duniau cig i Brechdan o hyn ymlaen,' ochneidiodd Dad. 'Rydw i wedi colli 'ngwaith eto, Llŷr.'

'O, do?' oedd ymateb Llŷr heb fawr o ddiddordeb.

Yna dyma geiriau eraill Dad yn ei daro.

'Dim tuniau cig? Ond mae'n *rhaid* i Brechdan gael bwyd.'

A dyma fo'n edrych o un i un a'i wyneb yn llawn hunandosturi.

'Mi lwgith Brechdan. Dydi o ddim yn deg. Mi ddeuda i wrth yr R.S.P.C.A.'

'Dydi o ddim yn deg fod dy Dad wedi colli'i swydd

chwaith,' meddai Nain yn bigog. 'Ac o ble daw y tuniau bwyd 'na rwyt ti mor hael hefo nhw, Llŷr?'

'O'r . . . siop?' medda Llŷr yn ansicr. 'Dydyn nhw ddim yn costio lot.'

'Wyt ti'n fodlon byw heb 'run geiniog o bres poced er mwyn eu prynu nhw?'

Roedd ceg Llŷr yn un 'O' fawr anghrediniol.

'Dim . . . un . . . geiniog?'

'Ia,' medda Nain gan ddobio'i ffon i bwysleisio'i phwynt. 'Os wyt ti eisio ci, rhaid iti aberthu er ei fwyn. A dysgu mai dy gyfrifoldeb di ydi o.'

'Ddaw hi ddim mor ddrwg â hynny, Mam,' meddai Dad yn anghyfforddus. 'Efalla y ca i . . .'

'Ac efalla bod môr o haelioni yng nghalonnau'r llywodraeth benstiff 'ma,' medda Nain yn siort.

Mi fedrwn weld nad oedd Mam a Dad yn licio'r ffordd roedd Nain yn hawlio'r awenau. Ond roedd golwg 'dioddef amgylchiadau bywyd' ar wynebau'r ddau, a doedd ganddyn nhw ddim calon i ddechrau dadlau.

'Rho grystyn i'r ci 'na,' gorchmynnodd Nain. 'Ar grystiau a sbarion esgyrn y byddai cŵn yn byw ers talwm, a dim sôn am y tuniau cig felltith 'ma. Maldodi anifeiliaid ydi'r ffasiwn newydd 'ma.'

Roedd brecwast bore trannoeth yn ddistaw drybeilig. Doedd neb eisio dweud gair.

'Mynd rŵan,' meddwn i gan wisgo fy siaced er mwyn cychwyn am fy ngwaith bore Sadwrn yn Mwclis Pert.

Chymerodd neb fawr o sylw. Roedd Dad yn syllu i'w goffi fel petai'r byd ar ben—ac efallai 'i fod o, wedi ichi golli'ch swydd—a Mam yn cnoi a chnoi tamaid o dost heb ei lyncu, Nain heb godi, a Llŷr wedi pwdu. Ac am unwaith roedd Rhodri'n cysgu'n dawel. Efallai ei fod o wedi synhwyro'r galar yn y tŷ 'ma, ac wedi penderfynu mai bod ddistaw oedd orau iddo.

Mi gyrhaeddais Mwclis Pert ar ben naw. Roedd Mrs Roberts wrth y cownter.

'Bore da,' meddwn i gan wenu'n siriol er bod fy nhu mewn i'n llawn hunandosturi.

Nid pob geneth sy'n gorfod ymdopi hefo tad di-waith a mam ddigalon, hefo nain benderfynol a brawd bach wedi pwdu—a hitha newydd ffarwelio â chariad blwyddyn am byth!

'Ia . . . wel,' meddai Mrs Roberts a rhyw olwg ryfedd ar ei hwyneb. 'Rydw i eisio siarad hefo ti, Gwenno.'

Mi syrthiodd fy nghalon i fy sgidiau. Beth oedd o'i le? Oedd arian ar goll o'r til, neu ladron wedi torri i mewn, a hithau'n meddwl mai fi roddodd wybodaeth iddyn nhw?

'B-be sydd?' holais yn boenus. 'Arna i mae'r bai?'

Mi wenodd Mrs Roberts a gafael yn fy mraich.

'Paid ag edrych mor boenus, Gwenno,' meddai. Yna sobrodd. 'Newydd drwg sydd gen i, mwya'r piti.'

A dyma hi'n trefnu ac aildrefnu y mwclis a grogai uwch y cownter.

'Rhaid imi gau'r siop, Gwenno,' meddai o'r diwedd.

'Oes rhywun yn sâl?' holais gan feddwl yn siŵr mai cau am y diwrnod hwnnw roedd hi'n ei feddwl.

'Cau'r siop yn gyfan gwbl,' medda hi. 'Dydi hi ddim yn talu hefo'r dreth yn codi fel y mae hi. A llai o bobl yn prynu.'

Wel, roeddwn i'n gwybod i'r cwsmeriaid fod yn hynod o brin ers y sêl ddechrau'r flwyddyn. Ond cau'n gyfan gwbl? Roeddwn i wedi fy syfrdanu!

'Mae'n ddrwg gen i, Gwenno,' medda hi. 'Ond does gen i ddim dewis.'

'Pryd?' meddwn i.

‘’Mhen pythefnos,’ medda hi. ‘Cychwyn sêl “cau i lawr” heddiw.’

Mi glywais Nain yn dweud droeon bod cawod yn arwain at genlli. A gwir pob gair hefyd. Be wnawn i rŵan? Dad heb waith, a finna heb fy joban Sadwrn.

Mi weithiais y bore mewn breuddwyd llwyr. Mi sgrifennodd Mrs Roberts hysbyseb y sêl mewn llythrennau bras ar y ffenestr, ac mi fûm inna wrthi’n ei helpu i roi arwyddion hanner pris a ballu ar wahanol bethau. Ac mi ddaeth ’na ddigon o gwsmeriaid i mewn i chwilio am fargeinion hefyd.

Ond erbyn amser cinio, roedd gen i andros o gur yn fy mhen. Ac wrth weld fy wyneb gwantan, mi ddeudodd Mrs Roberts y buaswn i’n cael awr a hanner i ginio, taswn i’n fodlon gweithio’n y pnawn hefyd.

Wel, mi gytunais ac allan â mi i gael tamaid i’w fwyta i Gaffi Ianto lle’r oedd Siw yn gweithio.

‘Nefi, rwyt ti’n edrych yn bethma,’ medda honno. ‘Be sydd?’

‘Dwbl trwbl,’ meddwn i’n galon isel.

‘Bwrw dy fola,’ medda Siw yn gydymdeimlad i gyd.

Ac wedi iddi daflu llygaid i gyfeiriad y bòs, dyma hi’n eistedd gyferbyn â fi yn glustiau i gyd.

‘Dad wedi colli’i waith, ac mae Mwclis Pert yn cau,’ meddwn i’n foel.

‘Rioed!’

Roedd llygaid Siw fel soseri.

‘Ffaith,’ meddwn i. ‘A be wna i rŵan?’

‘Chwilio am rywle arall, ’tê?’

‘Wyt ti ddim yn cofio’r strach gawson ni? Holi ’mhobman a neb eisio gwybod.’

‘SIW!’

Roedd bloedd y perchennog yn ddigon i gyrraedd Timbyctŵ.

'Dŵad, Mistar Jones,' medda Siw a neidio i ufuddhau.

'Wela i chdi eto,' medda hi.

Mi fwyteais fy rôl heb flasu'r un tamaid. A doedd gan Siw amser i ddim ond i godi'i llaw pan godais i fynd allan.

Mi gerddais y stryd â'm meddyliau mewn pwll diwaelod. Yn union fel y teimlai Dad, debyg!

'Hei!' meddai llais sydyn o'r tu ôl imi.

Mi droais heb fawr o ddiddordeb. Rhun!

'Sori, Gwenno,' medda fo wrth weld fy wyneb. 'Mi fyddi di heb joban Sadwrn rŵan, byddi?'

'Bydda,' cytunais yn foel.

'Sori,' medda fo eto fel tasa yngan y gair am wneud imi deimlo'n well.

'Wn i ddim lle y ca i joban rŵan,' meddwn i. 'Anodd cael un, tydi?'

Mi gerddais ochr yn ochr hefo Rhun a theimlo'n ddigon diflas. Pa iws trio gwenu a 'mywyd gweithio ar ben?

Ond mae'n rhaid bod yna ychydig o Nain Tawelfa (na, Nain Tŷ Ni ydi hi rŵan) yn perthyn imi, achos mi gododd fy nghalon ar fy ngwaethaf. Yn enwedig pan welais i Iwan!

'Heia, Gwenno,' medda hwnnw'n wên i gyd.

(Doedd o ddim yn gwenu'n hollol 'run fath i gyfeiriad Rhun chwaith!)

'Heia,' meddwn i. 'Nabod Rhun, dwyt?'

'Ydw.'

'Mynd 'nôl am Mwclis Pert?' holodd.

'Ia,' meddwn i'n llipa.

Mi edrychodd yn graff arna i.

'Be sy?'

'Siop yn cau.'

'Whiiw!' chwibanodd Iwan a gafael yn fy llaw.

'Sgin Mam ddim help,' medda Rhun. 'Y dreth yn codi.'

A dyma fo'n gafael yn fy llaw arall. Mi gerddon ni'n tri ar hyd y palmant. Dew! Mi roeddwn i'n ei gweld hi'n braf arna i rhwng dau fachgen, a'r ddau yn mynnu gafael yn fy llaw. A finna'n gwisgo sbectol hefyd.

Biti na fuasai Derec Wyn yn fy ngweld, iddo fo gael sylweddoli'i golled. Ond dydi lwc felly ddim yn dŵad i fy rhan i.

Ond mi gefais ychydig o lwc hefyd. Pan gyrhaeddon ni Mwclis Pert, roedd Gwen a Gwawr yn sefyll o flaen y ffenestr.

Mi edrychodd y ddwy'n syn pan welson nhw fi hefo bachgen ymhob llaw. Ac mi fedrwn weld bod Gwen yn lloerig bron wrth fy ngweld i.

'Biti trosot ti, Gwenno,' medda hi'n fêl i gyd. 'Y siop yn cau a chdithau'n colli joban. Be wnei di rŵan?'

'Fydda i fawr o dro'n cael un arall,' meddwn i'n uchelgeisiol. 'Digon o brofiad rŵan, does? Rhwng Siop Magi a phopeth.'

'Os wyt ti'n dweud,' medda Gwen heb goelio 'run gair.

'Gwenno'n siŵr o gael joban,' medda Rhun. 'Mi gaiff eirda ardderchog gan Mam.'

Mi wasgodd Iwan fy llaw am eiliad.

'Gwenno wedi cael hanes joban yn barod,' medda fo.

Mi edrychais i'n syn arno fo, a Rhun hefyd. Mi wyddwn fod fy ngheg i'n agor a chau heb i 'run gair ddŵad allan.

Roedd golwg wedi'i syfrdanu ar Gwen.

'Da iawn, chdi,' medda Gwawr a gwenu'n glên arna i. 'Pob lwc iti, ddeuda i.'

Wn i ddim pam mae Gwawr gymaint o ffrindiau hefo Gwen. Roedd hi'n ddigon hawdd gweld nad oedd honno'n falch o glywed y newydd. Dyma hi'n gwneud sioe fawr o edrych ar ei wats.

'Eisio cyfarfod Derec Wyn,' medda hi. 'Dim amser i'w sbario.'

'Deuawd tra triawd fyddwch chi heddiw?' holais yn felys. 'Mandy Webb hefo chi, debyg?'

Dew! Mi fedra inna fod yn reit sbeitlyd hefyd, erbyn meddwl.

'A beth oeddet ti'n 'i feddwl—hanes joban arall?' meddwn i gan droi at Iwan wedi iddyn nhw fynd.

Rhoi ei fys ar ei drwyn ddaru hwnnw, a smalio bod ganddo gyfrinach fawr.

'Mi gawn ni weld—mi gawn ni weld,' medda fo.

'Dydi o ddim yn iawn codi gobeithion,' medda Rhun yn reit surbwch. 'Ond gobeithio y cei di un, Gwenno.'

A dyma fo'n gwenu'n reit gariadus arna i, cyn agor drws Mwclis Pert a diflannu i mewn.

'Pa joban?' mynnais wrth Iwan.

'Mi gei di wybod pan fydda i'n siŵr,' oedd ateb hwnnw. 'Hwyl!'

'Hwyl!' meddwn i'n reit wantan.

Wyddwn i ddim p'run ai codi 'nghalon, 'ta suddo i anobaith llwyr oedd orau imi. Ond ymladd i'r eithaf fuasai Nain. Ac rydw inna'n perthyn yn agos iawn iddi.

Felly, gafael ynddi a phaid â digalonni, Gwenno Jones, meddwn i wrthyf fy hun. Dysga oddi wrth Nain Tŷ Ni!

Roedd andros o ffrae yn taranu rhwng muriau Tŷ Ni pan gyrhaeddais adre.

'Mae'n gwneud *sens*, Myrddin,' meddai Mam. 'Mae'r cyfle yna imi.'

Mi welwn Dad yn cerdded yn ôl a blaen fel tasa fo bron â ffrwydro.

'Dew! Be sy?' holais.

'Dy dad yn 'cau wynebu ffeithiau,' meddai Mam. 'Y fo heb swydd, a finna'n cael cynnig un.'

'Ond beth am Rhodri?' holais yn gegagored.

'Mi fedr dyn ymdopi 'run fath,' meddai Mam yn reit siort. 'Digon ohonyn nhw'n gwneud y dyddiau yma, a'u gwragedd yn gweithio.'

Wel, roeddwn i y tu ôl iddi gant y cant yn fan'na. Rhyddid merched a phethau felly. Ond rywsut, fedrwn i ddim gweld Dad yn newid clwt a llwyeidio bwyd i geg anfodlon Rhodri, nac yn estyn am y botel Calpol chwaith. Ond debyg bod 'na ddechrau ar bopeth!

Mi'u gadawais nhw yn y gegin a mynd i chwilio am Nain.

'Dal i ffraeo maen nhw?' holodd honno'n sych.

'Ia,' meddwn i yr un mor sych.

'Chlywais i rioed y ffasiwn beth,' snortiodd Nain. 'Dyn yn magu babi!'

'Pam lai?' holais yn ddiniwed.

'Pam lai?'

Snortiodd Nain eto.

'Am mai allan yn gweithio mae'u lle nhw. A'r ddynes yn y tŷ yn magu'r plant. Dyna pam.'

'Hen ffash ydi credu hynny, Nain,' meddwn i. 'Mae'n oes newydd rŵan.'

'Oes a'i thin am ei phen,' sylwodd Nain.

Mi fu dadl Mam a Dad yn ei hanterth am ddyddiau. Ond trwy ryw ryfedd wyrth, ddeudodd Nain 'run gair, er ei bod hi'n pletio ac ailbletio'i cheg bob yn ail a pheidio.

'Rhyngddyn nhw a'u potas,' medda hi.

'Sŵp, dach chi'n 'i feddwl?'

'Rwyt titha'n mynd ddigon cegog,' medda hi'n bigog. 'Wn i ddim beth sy'n digwydd i'r byd 'ma. Na wn i wir.'

Doeddwn i ddim wedi sôn wrthyn nhw fod Mwclis Pert yn cau. Roedd digon o bryder yn y lle yma heb i mi ychwanegu ato fo. Ond efallai y buasai'n well imi ddweud wrth Nain.

'Rydw inna'n colli fy joban Sadwrn,' meddwn i'n benisel.

Mi ddeffrodd Nain trwyddi.

'Wyt ti'n cael cam? Rhywbeth tebyg i'r hen ddyn afiach hwnnw—be oedd ei enw fo—hefo'i ddwylo crwydrol?'

'Wil Siop Magi? Na, Nain. Mae Mrs Roberts yn ardderchog, a Rhun hefyd. Y siop sydd ddim yn gwneud elw. Bron neb yn prynu ar ôl y Nadolig, a'r dreth yn uchel.'

'A be wnei di rŵan?'

'Chwilio nes y ca i rywbeth.'

'Da iawn, chdi,' medda Nain yn fodlon. 'Dipyn ohona i yna ti, does?'

Oes, debyg!

Mam enillodd y ddadl. Fe dderbyniodd ei hen swydd fel ysgrifenyddes, ac mi ddechreuon ni ar fywyd newydd sbon. Bywyd lle'r oedd Mam yn cychwyn yn ei siwt fusnes bob bore, a Dad mewn trowsus a phwlofer yn trio cadw trefn ar Rhodri—ac ar Nain!

'Mae'r byd 'ma'n llawn o ryfeddodau,' meddai Nain wrth wylio Dad yn newid clwt, a'i ddwylo'n fodiau i gyd.

Ac, wrth gwrs, roedd yn rhaid iddi gael cynghori sut roedd gwneud popeth. Mi fedrwn weld bod Dad bron â cholli'i limpin.

'Does dim angen cymaint ar y llwy,' cynghorodd Nain fel yr oedd Dad yn bwydo Rhodri.

'A dydw i ddim yn credu yn y bwyd tuniau babis 'ma,' meddai wedyn. 'Dim rhyfedd bod y peth bach yn taflu'i fyny.'

Ac erbyn i Nain ddatgan ei gwrthwynebiad i bopeth, a hynny o fore tan nos, roedd Dad druan yn barod i dderbyn joban yn Rwsia, neu rywle pell felly pe byddai rhaid, er mwyn iddo gael llonydd.

'Chwarae teg i Dad,' meddwn i wrth geisio darbwyllo tipyn arni. 'Mae o'n trio'i orau.'

Ac roeddwn inna'n trio fy ngorau i gael joban arall hefyd. Mi edrychais ym mhob papur rhag ofn y gwelwn i hysbyseb am un. Ac mi es cyn belled â disgyn oddi ar y bws ysgol ar fy ffordd adre er mwyn holi yn rhai o'r siopau. Mi fu bron imi â galw hefo Wil Siop Magi hefyd. Ond wedi imi ystyried y peth, doedd gen i fawr o awydd dioddef ei fysedd crwydrol na'r hen olwg gyfoglyd honno ar ei wyneb.

A lle'r oedd Iwan a'i hanes joban? Ffoniais ei gartre ddwywaith, ond doedd o ddim yno ar y pryd, meddai'i fam. A wnaeth o ddim ffonio'n ôl.

'Dweud er mwyn dangos ei hun roedd o,' meddai Siw. 'Paid â dibynnu dim ar y cena.'

'Ia, ond . . .' meddwn i yn methu â choelio bod Iwan wedi codi fy ngobeithion i ddim.

'Ddeudis i do?' meddai Siw. 'Mi fuasa wedi ffonio bellach.'

Roeddwn i'n reit ddiflas yn cyrraedd adre. Ac yn fwy diflas byth pan welais i'r olwg ffrwcslyd ar Dad wrth iddo drio paratoi'r cinio gyda'r nos, a cheisio diddori Rhodri a hwnnw newydd ddarganfod fod ganddo boen dant arall.

'Plicia'r tatws imi, wnei di?' oedd geiriau cyntaf Dad.

Dyna fi'n sgifi ddi-dâl unwaith eto, a 'nhraed i'n stympiau!

Ond mi newidiodd ei feddwl.

'Na—tria wneud rhywbeth hefo Rhodri. Mae o'n bloeddio ers meitin. Fedra i mo'i gysuro fo.'

'Lle mae'r Calpol?' meddwn i'n llawn hunanhyder. 'Mae hwnnw'n siŵr o'i setlo fo.'

'Wedi gorffen,' medda Dad a rhwbio'i law trwy'i wallt nes roedd o'n bigau draenog.

Wel, siwgr gwyn! Mae angen dysgu *lot* ar rai pobl.

'Mae potel lawn yn y cwpwrdd,' meddwn i. 'Mam wedi gofalu.'

Ac wedi imi ddandwrdd ychydig ar Rhodri a siarad yn glên hefo fo, mi'i rhoddais o yn ei gadair isel, a bachu'r teganau bach ar lastig o flaen ei drwyn.

'Rŵan, dim rhagor o nonsens,' meddwn i'n gry.

Mi wenodd Rhodri fel tasa ganddo lond ceg o ddannedd ac yntau rioed wedi cael trafferth hefo 'run ohonyn nhw, ac mi wenais inna'n glên yn ôl, cyn troi am y gegin i wynebu problemau Dad.

'Aethoch chi â Rhodri am dro?' holais. 'Mae babi eisio lot o awyr iach.'

Gwrido tipyn ddaru Dad, a mwngial rhywbeth am fod yn rhy brysur.

'Ydach chi wedi mynd â fo am dro o gwbl? Ers pan mae Mam yn gweithio?'

'Wel . . . naddo.'

Roeddwn i ar fin dweud fy meddwl, ond mi frathais fy nhafod pan drawodd y gwir fi. Gormod o gywilydd oedd ar Dad. Ddim eisio i bobl wybod ei fod o'n ddi-waith.

'O, Dad,' meddwn i a lapio fy mreichiau amdano. 'Dim ots, ychi. Dim ots eich bod chi'n ddi-waith. Dim ond am dipyn bach bydd o. Mi fyddwch yn siŵr o gael bachiad arall.'

'Dydw i ddim mor siŵr o hynny, Gwenno,' medda fo'n drymaidd. 'Efalla mai fel hyn y bydd hi. Dy fam yn gweithio, a finna'n ŵr tŷ.'

'Naci siŵr.'

'Ac mi rydw i'n mynd reit ddigalon weithiau,' ychwanegodd. 'Nid 'mod i'n gwarafun i dy fam weithio, na'r ffaith fy mod i'n trio dysgu cadw tŷ ac yn gwneud smonach ohoni'n aml. Ond rhyw deimlo nad ydw i'n dda i ddim—wedi fy nhaflu ar y domen sbwriel, a thybio mai byw ar gyflog gwraig fydda i am byth eto.'

'O, Dad.'

Roeddwn i'n teimlo bron â chrio.

'Chi ydi'r tad gorau'n y byd,' meddwn i. 'Wir yr! A—Dad! Rydw inna'n colli fy joban Sadwrn hefyd.'

Mi edrychodd yn reit graff arna i. Cofio am firi Wil Siop Magi roedd o, a'r ffaith mai dweud fy mhoen wrth Nain wnes i yr adeg honno, ac nid wrtho fo.

'Pam?'

'Siop ddim yn gwneud elw. Ond rydw i'n chwilio am joban arall, Dad. Y chi a fi'n chwilio. Ras! Gewch chi weld mai chi enillith!'

Gwenu yng nghanol tristwch ddaru fo.

'Rwyt ti'n siŵr o ddweud wrtha i os bydd rhywbeth yn dy boeni, dwyt?'

'Wrth gwrs, Dad,' cysurais a'i wasgu'n dynn. 'Ac mi fyddwch chi'n siŵr o gael joban arall. Yn bendant!'

'Trio codi 'nghalon i? Rwyt ti'n ferch dda, Gwenno. A phaid ti â meddwl nad ydi dy fam a minna'n sylweddoli hynny.'

Ac mi afaelodd am f'ysgwyddau a fy nhynnu ato. (Doeddwn i ddim wedi teimlo mor agos ato ers cantoedd!)

'Well inni ymdopi hefo'r cinio 'ma o'n dau,' meddai. 'Neu mi fydd dy fam adre.'

'Lle mae Nain?' holais yn sydyn.

'Choeli di byth,' medda Dad gan chwerthin. 'Mae hi wedi mynd i'r Cartre i edrych am Magi Tŷ Isa.'

'Rioed!'

'Ydi wir. Eisio brolio am yr estyniad, a phwysleisio pa mor hapus ydi hi wedi gadael y lle, iti.'

Fedrwn i ddim peidio â gwenu. Mi fyddai Magi Tŷ Isa yn lwmp o eiddigedd wedi i Nain orffen hefo hi.

Estynnodd Dad y cáserol o'r popty.

'Ydi hwn yn barod, Gwenno?'

Erbyn i Mam gyrraedd, roedd y bwyd ar y bwrdd, a Rhodri yn gyrglian yn hapus yn ei gadair isel.

'Diolch am gael tynnu fy sgidiau,' meddai Mam gan ei gollwng ei hun yn flinedig i'r gadair. 'Dos i molchi dy ddwylo, Llŷr,' meddai hi wedyn fel y daeth hwnnw i mewn ar ei ruthr arferol, a Brechdan yn dynn wrth ei sodlau.

'A dos â'r ci 'na allan,' gorchmynnodd Dad yn chwyrn wrth weld Brechdan yn anelu am Rhodri. 'RŴAN!'

Yng nghanol y miri, mi gyrhaeddodd Nain yn ddrwg ei thymer.

'Sut hwyl gawsoch chi?' mentrais.

Mi sodrodd Nain ei hun wrth y bwrdd cyn ateb.

'Magi Tŷ Isa,' snortiodd. 'Chefais i rioed gymaint o sioc, naddo wir. John druan,' medda hi gan ysgwyd ei phen. 'Mi fydd yn difaru.'

'Difaru be?' holais a phawb arall yn glustiau i gyd.

'Y hi a John yn priodi,' meddai Nain yn ffromllyd. 'Y creadur bach. Doedd ganddo fo ddim siawns!'

Roedd fy ngên i'n cyrraedd y llawr ers meitin. Hen bobl mewn cartref yn priodi! Dw i ddim yn siŵr p'run ai fi 'ta Nain oedd wedi cael fwya o sioc!

Mi ffoniodd Iwan.

'Lle gebyst buost ti?' holais.

'Wedi fy ngholli, cariad?' meddai'n gyfoglyd.

'Mi wyddost ti'n iawn beth oeddwn i'n 'i feddwl,' meddwn i. 'Chdi ddeudodd efalla bod gen ti hanes joban.'

'Oes.'

'Be? Wir?'

'Oes.'

'Wir yr?' holais yn anghrediniol.

'Fydda i byth yn dweud celwydd.'

'Ond lle?'

'Gweinyddes cinio Sul yn y Bistro Bach.'

'Rioed! Y lle posh 'na!'

'Ia. Eisio iti fynd am gyfweliad. Mi rois i andros o gymeriad da iti. Gweithgar, golygus, gonest.'

Roeddwn i wedi fy syfrdanu ormod i ddweud gair.

'Glywaist ti?' holodd Iwan.

'D-do,' meddwn i a 'mhen yng nghanol breuddwydion.

Gwenno Jones mewn sgert gwta a blows wen denau, a fy 'mra' yn dangos yn ddeniadol siapus trwyddi, yn gwau fy ffordd rhwng y byrddau llwythog, a'r bobl yn dweud na welson nhw erioed weinyddes mor gelfydd wrth ei gwaith.

'Mae'n bleser ciniawa yma,' fydden nhw'n 'i ddweud wrth y perchennog. 'Lle cawsoch chi drysor fel hyn?'

Ac wedi imi gael digon o brofiad a thyfu i fyny ychydig, mi fyddai yntau'n cynnig partneriaeth yn y busnes imi.

'Fedra i wneud dim arall,' fyddai ei eiriau. 'Ma'r busnes wedi dyblu a threblu ers pan ddoist ti yma, a'r Bistro Bach yn enwog trwy Gymru.'

'WYT TI YNA?'

Mi ddeffroais o'm breuddwydion wrth glywed llais Iwan yn fy nghlust.

'Hei!' Mi gofiais yn sydyn. 'Sut cefaist ti hanes y joban? A pham mae'r perchennog yn derbyn dy air di?'

'Gweithgar a golygus a gonest fy hun, tydw?'

Wel, efallai! Y pen mawr iddo!

'Wncl Mel sy biau'r Bistro Bach,' medda fo. 'A finna'n helpu yno'r penwythnosau.'

A dyma fo'n gwneud sŵn ci uwchben asgwrn. Grrr!

'Y chdi a fi yn y gegin, yli. Yn glòs, gynnes, gariadus!'

Ydw i eisio rhannu cegin hefo Iwan? Does ots gen i—rhywbeth o fewn rheswm ond imi gael joban arall!

Hwrê! Rydw i wedi'i chael hi. Roedd Wncl Mel Iwan yn ddyn reit neis a'i lygaid brown yn gwenu uwchben ei locsyn. Mi gefais baned o goffi yn un o'r cwpanau tsieni gweld trwyddo 'na ganddo, ac eglurhad llawn ar sut i weithio mewn lle mor ffansi.

O un ar ddeg tan dri fydda i yno—bob dydd Sul. Mi ddangosodd imi sut oedd gosod bwrdd, lle i gadw pethau, sut i gymryd archeb a gwneud biliau, sut i ymateb i'r cwsmeriaid (rhai ohonyn nhw'n ddigon anodd eu plesio, medda fo)—a sut i wenu'n glên trwy storm a hindda!

Ac os bydda i'n plesio'r cwsmeriaid, efalla y caf i gil-dwrn gan rai ohonyn nhw— 'tips'. Ond mae angen rhannu'r rheiny hefo'r gweithwyr eraill. Ond does dim ots gen i. Y bunt ychwanegol sy'n bwysig!

Doedd fy nhraed ddim yn cyffwrdd y palmant ar y ffordd adre.

'Dad! Nain!' meddwn i. 'Joban! Wedi cael un arall.'

Mi ddaeth Dad o'r cefn.

'Wel, da iawn chdi, Gwenno,' medda fo. 'Y chdi enillodd y ras!'

A dyna'r funud gyntaf imi gofio am fy ngeiriau wrtho fo.

'O, Dad,' meddwn i'n benisel braidd. 'Sori—chofiais i ddim. Ond y chi fydd nesa.'

Ysgwyd ei ben ddaru fo a mynd yn ôl i'r gegin. Mi waeddodd Nain.

'Wedi'i chael hi, Nain,' galwais inna'n ôl gan anelu am ddrws y lolfa. 'Y joban.'

'Mi wyddwn y caet ti,' medda hi'n fodlon. 'Dyfal-barhad gen ti.'

'Gan Dad hefyd,' meddwn i. 'Dim ond cyfle mae o'i eisio.'

'Ia, debyg,' medda hi heb lawer o argyhoeddiad. 'Ond dydw i ddim yn credu yn y busnes gŵr tŷ 'ma. Allan yn cerdded y stryd ac yn chwilio y dylai o fod.'

'Ond, Nain. Fedrwch chi ddim magu babi a cherdded strydoedd,' meddwn i'n rhesymol. 'A dydi pethau ddim 'run fath ag yr oedden nhw ers talwm. Jobsys yn brin.'

'Fuo dy daid 'run diwrnod heb waith,' medda hi. 'Gormod o gywilydd arno fo.'

Mi fydda i'n cael llond bol ar Nain weithiau. Pam na wnaiff hi wylio'r teledu a darllen y papur newydd iddi gael dŵad i nabod bywyd fel y mae o? Does 'na ddim ond newyddion pobl allan o waith, a chwmnïau'n cau bob dydd. Efallai mai Taid oedd dyn gorau'r deyrnas ers talwm ond mi fyddai angen iddo yntau dorchi'i lewys i gael joban y dyddiau yma.

Mi fu'n rhaid i mi fynd trwodd i'r gegin rhag llefaru'r geiriau oedd ar fy nhafod—a difaru!

'A chofia 'mod i eisio help i drefnu 'mhethau y penwythnos 'ma,' galwodd Nain ar fy ôl.

Dyna hi eto. Sgifi benwythnos i Nain. Does 'na ddim munud o lonydd i'w gael yn y lle 'ma!

Mi roeddwn i'n reit fflons yn mynd i'r ysgol drannoeth.

'Wedi cael joban,' meddwn i wrth Siw. 'Bistro Bach.'

'Wel, am lwcus,' medda Siw yn llawn eiddigedd. 'Sut?'

'Iwan,' meddwn i. 'Ei Wncl Mel sy biau'r lle.'

Cau ei cheg wnaeth Siw, a chofio fel roedd hi wedi dadlau yn erbyn coelio Iwan.

Roedd Gwen a Gwawr wrth ddrws yr ysgol, a Derec Wyn a Mandy Webb hefyd.

Mi ludais wên ar fy wyneb, a phenderfynu ei chadw yno waeth be ddigwyddai. Fedra i yn fy myw beidio â hiraethu dipyn bach wrth weld Derec Wyn, yn enwedig ar ddechrau diwrnod fel hyn. Dychmygu pa mor braf fuasai rhannu gwên fach gyfrinachol hefo fo ar ddechrau diwrnod ysgol—a honno'n mynegi cariad—a'i chofleidio rywle'n glòs wrth fy nghalon am weddill y dydd.

Ond dydw i ddim yn un i hiraethu am bethau ddoe. Yfory sy'n bwysig—a'r cariad newydd 'na welodd y ddynes ffortiwn. Ond mae o'n gebyst o hir yn dod!

Mae fy nhraed i'n gyrn a 'nghoesau'n brifo fel taswn i wedi rhedeg marathon. Ond marathon symud Nain fûm i trwyddo. Ac wrth gwrs, doedd yna neb ond Gwenno Jones i redeg a rasio, a chludo a chodi a gwagio bocsys nes roeddwn i'n teimlo'n gant!

Roedd Llŷr yn smalio helpu. Ond erbyn iddo gau'r drws sawl gwaith ar Brechdan, a hwnnw'n swnian a chrio y tu allan, roedd fy nhymer i'n deilchion!

'Yli,' meddwn i wedi imi faglu ar draws Brechdan am yr ugeinfed tro. 'Dos â'r blincin ci 'ma i rywle heblaw o dan draed.'

'Sgin i ddim amser,' meddai Llŷr yn rhesymol. 'Helpu, tydw? Ac mae'n ddrwg—rhegi.'

'Dydi blincin ddim yn rhegi,' meddwn i gan achub rholyn papur toiled Nain o afael Brechdan.

'Ella dy fod ti'n meddwl rhywbeth gwaeth,' medda fo. 'Wrth ddweud blincin.'

'Blincin ddeudis i, a blincin oeddwn i'n 'i feddwl.'

'Blincin—rhegi,' meddai Llŷr.

'Yli,' meddwn i'n dymherus. 'Dos allan hefo dy blincin dadl, a dy blincin ci.'

Mae Llŷr yn ddigon i godi'r myll ar sant.

'Mi ddeuda i wrth Mam. Dy fod ti'n dweud blincin.'

Yr eiliad honno, mi welais Brechdan yn ffaglu allan hefo siwmper orau Nain fel llinyn y tu ôl iddo.

'GAFAEL YNDDO FO!' gwaeddais gan fy nhaflu fy hun i'w gyfeiriad. 'AROS, Y GWALCH!'

Gêm oedd y cyfan i Brechdan, wrth gwrs. Ac wrth glywed y bygythio, dyma fo'n newid gêr yn syth, ac yn carlamu trwy bridd yr ardd, a'i wthio ei hun a'r siwmper o dan y goeden gwsberins i'w malu'n greiau.

'Mi laddith Nain chdi a dy gi,' meddwn i.

'Ddim arna i mae'r bai,' cwynodd Llŷr. 'Chdi ddaru ddychryn Brechdan.'

Erbyn imi achub y siwmper (heb 'run twll ynddi, diolch byth!), ac addo ei golchi heb i Nain wybod, a hel Llŷr a'i hafoc pedwar troed oddi yno, roeddwn i'n teimlo fel dringo i fy atig fach fy hun a chau'r drws ar bopeth. A tasa Derec Wyn a Rhun ac Iwan, a'r cariad newydd sbon oedd rywle ar y gorwel, yn ciwio wrth y drws, fuaswn i ddim yn agor i 'run ohonyn nhw.

'Rwyt ti'n hogan reit dda,' meddai Nain ac estyn dwybunt imi o'i bag.

Ac yna dyma hi'n pwyso'n ôl yn ei chadair a chau'i llygaid.

‘Gwna baned, Gwenno,’ medda hi. ‘Ac estyn y gwydr bach dal dannedd gosod. Maen nhw’n rhwbio fy ngymiau ers meitin.’

‘Siŵr iawn, Nain,’ meddwn i wrth weld yr olwg flinedig oedd arni. ‘Dach chi eisio mynd i’ch gwely?’

Mi agorodd ei llygaid yn reit fflons.

‘Nac oes siŵr,’ medda hi. ‘Digon o waith i’w wneud eto.’

Oes yna ddiwedd ar sgifio yn y lle ’ma?

‘Wnaiff fory mo’r tro?’ holais yn wangalon.

‘Twt lol,’ medda Nain yn gry. ‘Gorffen joban sydd eisio, ddim ei gadael ar ei hanner. Paned a bisged i ni gael ein gwynt aton, ac mi fyddwn yn iawn.’

Ydach chi wedi gwylio pobl yn bwyta heb ddannedd erioed? Iyc!

Rydw i’n boddi mewn gwaith ysgol. Mathemateg, Saesneg, Cymraeg, Gwyddoniaeth, Hanes, Daearyddiaeth, Astudiaethau Busnes . . . mae fy mhen i’n troi.

Helyntion a therfysgoedd rydyn ni’n eu hastudio yn Hanes. Mi fu ’na le ofnadwy yn y wlad ’ma ers talwm. Helyntion Beca, Terfysgoedd Merthyr, Siartwyr, Helynt y Degwm, heb sôn am ddigwyddiadau’r oes yma. Diolch fy mod wedi symud i’r atig. Mae fy llanast prosiect wedi’i daenu rywsut rywsut ar y ddesg, a lluniau papur newydd ac erthyglau ac ati fel carped ar y llawr.

Ond fy llanastr i, yn fy atig i, ydi o. A fi sy’n llnau a threfnu ’mhethau, a does gan neb arall hawl i roi troed ynddi.

‘Os wyt ti’n fodlon mewn llanast,’ meddai Mam. ‘Dy fai di ydi o.’

‘Gwaith ysgol yn pentyrru arna i,’ meddwn i’n ddioddefus. ‘Gweithio oriau bob nos.’

Mi ochneidiais fel petai pwysau'r byd ar f'ysgwyddau. 'Rydw i am fynd â choffi hefo mi i wneud mwy o waith rŵan.'

Mi ddringais i'r atig a chau'r drws yn dynn. Dydw i ddim eisio i neb ddŵad a 'nal i'n darllen cylchgrawn! Mae'n rhaid i bob gweithiwr ymlacio weithiau!

'Rhedeg traws-gwlad' y peth cynta bore 'ma. Unwaith yr wythnos mae 'P.E.' ac mae hynny'n fwy na digon gen i.

Dydw i ddim yn hoff o ddim byd egnïol fel ymarfer corff. Ac mae rhedeg ar draws gwlad yn fy lladd i! A Siw hefyd.

Rydyn ni'n cychwyn fel petaen ni am redeg oddi yma i Gaer. Ond rhyw redeg pwt a loetran pwt wnawn ni wedyn. A phan fyddwn ni o olwg yr athrawes, mi fyddwn ni'n cael seibiant bach ar y fainc wrth ochr y ffordd hefyd.

'Car a dreifar tosturiol sydd ei angen,' medda Siw. 'Mi fuasen ni'n cyrraedd o flaen pawb wedyn, a dim mymryn gwaeth.'

Wrth gwrs, mae Gwen a Gwawr ymhell ar y blaen, ac yn ymlacio'n braf cyn i Siw a minnau *weld* yr ysgol.

'Mae bechgyn yn licio genod ystwyth,' medda Gwen gan ofalu dweud yn ddigon uchel i mi ei chlywed. 'Hawdd rhoi pwysau ymlaen os nad ydi rhywun yn cadw'n heini.'

Roedd gen i bigyn yn fy ochr, ac roedd fy wyneb fel taswn i wedi bod yn torheulo am fis!

'Hefo pwy rwyt ti'n mynd allan heno, Gwenno?' holodd Siw. 'Iwan, 'ta Rhun?'

'Methu penderfynu,' meddwn inna. 'Y ddau wedi gofyn.'

Roedd Gwen yn glustiau i gyd.

'Pam na wnei di fynd hefo Rhun heno, ac Iwan nos fory?' holodd Siw gan gadw un llygad ar wyneb Gwen.

'Ia, dyna wna i,' meddwn i yn fodlon. 'Fedra i yn fy myw benderfynu rhwng y ddau.'

'Ti mynd allan *tonight* . . . ymm . . . heno?' holodd Mandy Webb.

Dew! Mae Derec Wyn yn athro da! Ys gwn i be mae Gwen yn 'i feddwl?

'Derec Wyn a . . . fi . . . mynd sinema . . . heno,' meddai Mandy Webb.

'Wyt ti rioed yn dweud?' meddwn i.

Mi edrychais i gyfeiriad Gwen, ac roedd ei hwyneb hi'n bictiwr!

A dyna beth rhyfedd, er bod Gwen yn medru bod yn rêl hen bitsh weithiau, roeddwn i'n cydymdeimlo â hi. Roeddwn i wedi diodda digon fy hun wrth feddwl am Mandy Webb a Derec Wyn.

Mae drws nesa ar y chwith ar werth. Roedd yna bobl yn edrych arno fo y diwrnod o'r blaen. Tad a Mam a *dau* fachgen! Y ddau hefo gwallt melyn ac un ohonyn nhw hefo sbectol fel finna.

Gwallt melyn! Mi afaelodd cynnwrf yndda i'n syth, fel y fflachiodd geiriau'r ddynes ffortiwn trwy fy meddwl. Tybed mai un o'r rhain oedd hi wedi'i weld yn y cardiau?

Mae un ohonyn nhw'n edrych dipyn yn hŷn na fi hefyd. Ond yr un â sbectol! Www! Mae hwnnw tua'r un oed. Ac mae'i wallt o'n olau olau, fel aur newydd sbon! Whiw! Roedd fy nghalon i'n curo'n wyllt.

'Dau bishyn?' holodd Siw yn reit awchus.

'Wn i ddim. Doeddwn i ddim digon agos i weld,' meddwn i'n gelwyddog.

A dweud y gwir, eu llygadu nhw o ffenest to yr atig wnes i. Clywed lleisiau, a sefyll ar ben y gadair i weld.

Ond mi fu'n rhaid imi dynnu 'mhen yn ôl yn reit sydyn, achos mi edrychodd y sbecs gwallt melyn i fyny—a doeddwn i ddim yn siŵr oedd o wedi fy nal ai peidio.

'Mi ddo i draw pnawn Sul rhag ofn iddyn nhw ddŵad eto,' cyhoeddodd Siw.

'Yli,' meddwn i. 'Mae gen ti gariad yn barod. Am ei briodi. Cofio?'

'Wel—ydw,' medda Siw braidd yn anfodlon. 'Ond dydw i ddim eisio i chdi gael yr hwyl i gyd, nac ydw?'

'Mae un cariad yn ddigon i bawb,' meddwn i'n gadarn.

'Un dda i ddweud,' medda Siw. 'Rhun ac Iwan ar d'ôl di o hyd. Heb sôn am Derec Wyn wedi'i daflu heibio.'

'Ffrindiau ydi Rhun ac Iwan,' meddwn i. 'Dim mwy.'

'Ia—ond does gen i 'run bachgen yn ffrind fel'na,' medda Siw yn anfodlon. 'Ac rydw i eisio ychydig o gynnwrf mewn bywyd, er 'mod i'n gwybod mai priodi Prysor wna i rhyw ddiwrnod.'

Ac mi gyrhaeddodd Siw bnawn Sul wedi gwisgo fel tasa hi'n mynd i goroni'r frenhines.

'Dew!' meddwn i'n syn. 'Hen jîns sy gen i. Efalla na welwn ni neb.'

Mi lygadais y minlliw a'r colur llygad ar wyneb Siw, a phenderfynu'n sydyn y dylwn innau wneud y gorau o'r ychydig bwyntiau da oedd gen i.

'Mi ro i beth iti,' medda Siw yn awyddus i gyd. 'Tyrd i sefyll o dan y ffenest.'

Ac roedd hi wrthi'n coluro fy wyneb pan glywon ni leisiau.

'Ssh!' meddai Siw. 'Glywaist ti?'

'Do,' meddwn i. 'Brysia hefo'r colur llygaid 'na imi gael gweld.'

'Aros imi sbecian gynta,' medda Siw a dringo ar y gadair a gwthio'i phen trwy ffenestr y to.

Mi fu bron iddi â disgyn!

'Mi edrychodd un ohonyn nhw reit arna i,' meddai. 'Hogyn gwallt melyn, a sbectol ganddo fo. Pishyn! Ond ma'r llall yn olygus hefyd. Dipyn bach yn hen, efallai, ond yn rêl hync!'

Roedd ei hwyneb hi'n goch gynhyrfus, a'i llygaid yn sgleinio.

'Cofia am Prysor,' meddwn i.

'Rydw i'n cofio, siŵr iawn,' medda hi. 'Does dim drwg mewn llygadu, nac oes?'

'Beth tasa Prysor yn dechrau llygadu?' holais. 'Beth wnaet ti wedyn?'

'Tynnu'i wallt o'n g'reiau,' meddai Siw a'i llygaid yn melltennu.

A dyma hi'n paratoi i ddringo ar y gadair unwaith eto.

Roeddwn i'n dechrau teimlo braidd yn eiddigus. Meddwl prynu ein drws nesa ni roedden nhw, 'tê? Ac os oedd hawl gan rywun i sbecian arnyn nhw, y fi oedd honno.

'Symud,' meddwn i a chyrraedd am fy sbectol cyn dringo ar y gadair.

Mi wthiais fy mhen allan ac edrych i ardd drws nesa—ac yn syth i wyneb y sbecs gwallt melyn. A dyma'r creadur digywilydd yn chwifio'i law arna i. Sôn am sioc!

Fedrwn i ddim tynnu fy mhen yn ôl yn ddigon buan. Ac wrth gael fy mhen i mewn ar fyrder a dringo oddi ar y gadair 'run pryd, mi gamestynnais a disgyn yn lleden ar lawr yr atig.

'Oww!' meddwn i a rhwbio fy ffêr yn boenus.

'Be ddigwyddodd?' holodd Siw. 'Be oedd y brys?'

'Mi gododd ei law arna i.'

‘Pwy? Yr un sbectol ’na?’

‘Ia.’

‘Mi awn ni allan am dro,’ medda Siw, wedi penderfynu’n syth.

‘Ond rydw i wedi brifo’n ffêr!’

‘Twt! Dim ots am hynny,’ medda Siw, a’i gwadnu hi am y drws.

Mi sbonciais ar ei hôl. A phan ddaethon ni allan i’r ardd, roedd Mam a Dad yn siarad hefo’r teulu dieithr.

‘O,’ meddai Dad. ‘Dyma Gwenno, ein merch ni, a’i ffrind Siw.’

‘A Gareth a Ronw, ein bechgyn ninnau,’ medda’r dyn dieithr.

Roedd llygaid Ronw yn llawn chwerthin wrth edrych arna i. Mi fedrwn deimlo fy wyneb yn gwrido. Pam rodd o’n llygadrythu fel ’na—fel tasa fo’n mwynhau rhyw jôc fawr? Am ei fod o wedi fy nal yn sbecian?

‘Gwenno!’ medda Mam yn sydyn. ‘Be ’di’r stwff ’na o gwmpas dy lygaid di?’

Mi drodd pawb i edrych arna i a dechrau gwenu.

‘Colur,’ meddwn. ‘Be arall sy ’na?’ holais wedi dychryn.

‘Streipen ddu at dy drwyn,’ medda Dad gan chwerthin.

‘Rioed!’

Mi fuaswn i’n medru suddo trwy bridd yr ardd ac i Awstralia. Am byth!

Ond roedd Siw yn fwy na pharod i achub fy nheimladau.

‘Practeisio coluro erbyn y ddawns ddramatig yn yr ysgol,’ medda hi’n gelwyddog. ‘Ac mae angen colur streips ar yr wynebau.’

A dyma hi’n gafael yn fy mraich ac yn fy arwain am y tŷ.

‘Heb orffen oedden ni, a digwydd clywed lleisiau,’

meddai fel tasa streipiau sebra'n bethau hollol gyffredin ar wyneb rhywun.

Roedd gwrid yn blaster ar fy nghorff a finnau bron â marw o gywilydd wrth i ni ddringo'r grisiau.

'Y chdi oedd heb orffen,' meddwn i'n grac. 'Ac yli be ddigwyddodd.'

'Y chdi oedd yn mynnu sbecian,' meddai Siw. 'Chefais i ddim cyfle.'

Doedd waeth heb â ffraeo, roedd y llanastr wedi'i wneud. A fedra i byth wynebu Ronw eto ac yntau wedi gweld y fath olwg arna i. Rhaid imi ddychwelyd at y ddynes ffortiwn, a dweud wrthi am ailddarllen y cardiau. Biti hefyd!

Mi orweddais yn fy ngwely a meddwl am Ronw cyn mynd i gysgu. Oedd o wedi fy ffansïo, 'ta chwerthin am fy mhen o achos y streipen oedd o? Mi gysgais a breuddwydio bod Derec Wyn a Rhun ac Iwan yn penlinio'n ymbilgar o fy mlaen i, a finnau'n eu gadael i lyfu'r llawr, a gwenu'n gariadus ar Ronw.

Ond rhaid deffro o freuddwydion a wynebu realiti bob dydd. Pethau fel Rhodri'n crio o boen dannedd, a Mam yn rasio cychwyn am ei gwaith, a Dad yn llosgi'r tost, a Llŷr a Brechdan o dan draed—a Nain yn disgwyl ei phaned a'i dannedd gosod yn yr estyniad.

'Ddeudis i, do?' meddai Mam. 'Disgwyl tendans, a theclyn gwneud paned newydd sbon wrth ei gwely hi.'

Ac mi drodd am y drws gan adael Dad a finna i wrando ar sŵn y car yn diflannu'n frysiog o'r dreif wedyn.

Mi fedrwn weld bod Dad yn teimlo i'r byw. Mi ochneidiodd a throi i drio cysuro Rhodri, tra tywalltais inna baned i Nain a'i gwadnu hi am yr estyniad.

'Ar frys, Nain,' meddwn i gan giledrych ar y dannedd gosod. 'Ma'ch paned chi yn fan'ma, ylwch.'

Ond chefais i ddim cyfle i droi ar fy sawdl.

'A sut mae pethau trwodd y bore 'ma?' holodd Nain. 'Ac estyn fy nannedd gosod imi, wnei di?'

Siwgr gwyn! Mi fydda i'n cofio am y dannedd yna pan fydda i'n gant! Maen nhw'n binc ac yn newynog ac yn gyrru iasau oer i fyny fy asgwrn cefn.

'Rhaid imi fynd, Nain,' meddwn i. 'Rhag ofn imi golli'r bws.'

'Rhaid, debyg,' medda Nain. 'A sut hwyl sydd ar dy Dad y bore 'ma? Ymm?'

Sôn am benderfynol!

'Iawn am wn i,' meddwn i. 'Ar ormod o frys i sylwi.'

'O!' medda hi'n siomedig.

Mi wyddwn i'n iawn sut hwyl oedd ar Dad. Ond fedrai Nain na fi wneud dim i wella'r sefyllfa. Cael joban arall wnâi hynny.

Mi roes i gusan frysiog i Nain cyn carlamu am y drws ac yn ôl i'r gegin. Mi lyncais damaid o dost wedi llosgi a thaflu llymaid o goffi i gyfeiriad fy llwnc, a chadw un llygad gorffwyll ar y cloc 'run pryd.

A phan ddringais i'r bws ysgol, mi syrthiais i'r sedd wrth ochr Siw a chau fy llygaid fel taswn i ar drengi.

'Ioga,' medda Siw.

'Ioga, be?' meddwn i'n syn.

'Yr ateb.'

'Ateb i be?' meddwn i eto.

'I dy broblemau di,' medda Siw. 'Diffyg ymlacio ac yn rhedeg i bob man. Fel chwilen mewn popty poeth.'

'Yli,' meddwn i. 'Sgin i ddim amser i *anadlu* heb sôn am ymlacio. Ddim hefo fy nheulu i.'

'Mae Ioga'n fendithiol i gorff a meddwl,' meddai Siw. 'Wedi'i ddarllen o mewn cylchgrawn.'

Mi gyrhaeddon yr ysgol cyn iddi bregethu ymhellach.

'Sgwrs Rhyw y bore 'ma,' meddwn i. 'Wyt ti am eistedd wrth ochr Prysor?'

'Dim ffeiars,' meddai Siw. 'Mi fuaswn i fel tomato.'

Roedd y nyrs yn ein disgwyl yn ystafell tri, a phentwr o bethau ar y ddesg o'i blaen.

'Menig Ffrengig,' sibrydodd Siw. 'Condoms!'

'Sut wyt ti'n gwybod?' holais. 'Profiad?'

'Cer o 'ma,' medda Siw. 'Mae Prysor yn cadw'i facha iddo'i hun.'

Sut beth oedd cael rhyw go iawn, tybed? Mi gofiais am y munudau hynny hefo Derec Wyn yn ein tŷ ni. Roeddwn i'n teimlo fel toddi i'w gorff o yr adeg honno. Fuaswn i wedi'i rwystro fo tasa fo wedi mynd ymhellach? Aeth ias bleserus trwydda i wrth gofio'r teimlad, ac mi ddringodd y gwrid i fy wyneb.

'Be sydd?' holodd Siw.

'Dim,' meddwn i gan geisio anghofio fy munud wan.

'Rydw i am siarad am atal cenhedlu heddiw,' cyhoeddodd y nyrs. 'A'r rhesymau tros ofalu am hynny.'

'Rhag iti gael babi, siŵr iawn,' sibrydodd Siw. 'Pawb yn gwybod hynny.'

'Dyma gondom y ferch,' meddai'r nyrs a dangos rhywbeth cylchog llipa. 'Mae'n newydd ar y farchnad, ond yn reit effeithiol.'

Aeth ton o chwerthin isel trwy'r dosbarth. Roedd gen i biti tros y nyrs, ond fedrwn i ddim gweld bod fawr o ots ganddi chwaith. Canlyn ymlaen wnaeth hi, heb falio dim.

Mi siaradodd am gondoms dynion, a sbwng, a'r bilsen bore trannoeth, am I.U.D. a'r bilsen bob dydd, a manteision ac anfanteision pob un, nes imi deimlo fy mod i'n gwybod mwy nag a wyddai Mam a Dad er eu bod nhw wedi cael blynyddoedd o brofiad—heb sôn am Nain!

'Boncio boncyrs!' medda un o'r bechgyn wrth adael y dosbarth. A dyma fo'n ciledrych yn hanner cyfoglyd ar Gwawr. 'Dim pleser mewn peth fel'na.'

'A dim pleser i neb fynd allan hefo chditha chwaith,' medda Gwawr. 'Os mai fel'na rwyt ti'n bihafio.'

Mi gyhoeddodd y nyrs y byddai trafodaeth yr wythnos nesa. Ar heintiau rhyw heb ofal, medda hi. Ac mae'r rhestr honno fel araith Nadolig y Frenhines. Yn faith, ond fel ffisig, maen nhw eisio ichi'i llyncu!

Rydw i wedi gweithio fy more Sul cyntaf yn y Bistro Bach. Roeddwn i'n fodiau i gyd ar y dechrau, yn enwedig wrth gario platiau at y byrddau. Mae un weinyddes yn medru cario pump ar y tro—yn rhes i fyny'i braich. Mi slensiodd Iwan fi i drio.

'Cer o 'ma'r cranci,' meddwn i. 'Eisio 'ngweld i'n methu rwyt ti.'

'Cusan os gwnei di,' cynigiodd.

'Cosb, nid gwobr fuasa hynny,' meddwn i.

Rydw i'n licio Iwan, ond nid yn gariad. Na, mae fy mryd i ar ddod i adnabod y ddau foi gwallt melyn 'na, os bydda i'n ddigon lwcus i'w cael nhw'n byw drws nesa. Ronw yn arbennig!

Mae llygaid glas ganddo, a'r rheiny'n gwenu tu ôl i'w sbectol. Feddyliais i rioed y buaswn i'n ffansïo bachgen hefo sbecs chwaith, ond rydw i wedi fy mherswadio fy hun fod sbecs yn reit secsi wedi'r cwbl—rhai Ronw, beth bynnag!

'Mi gerdda i adre hefo ti,' medda Iwan. 'Eisio dŵad i weld dy nain.'

'Iawn, 'ta,' meddwn i'n reit anfodlon.

Beth tasa Ronw a'i deulu'n ymweld â drws nesa eto

heddiw? Ond efallai y buasai'n beth da iddo weld fod gen i fachgen hefo diddordeb wrth fy sodlau.

'Am ddŵad allan hefo mi heno?' holodd Iwan. 'Wedi gadael Derec Wyn rŵan, dwyt?'

'Do,' meddwn i gan deimlo ias fach o hiraeth. 'Ond dydw i ddim eisio cariad arall. Ddim ar hyn o bryd.'

'O,' medda fo'n siomedig.

Yna mi afaelodd yn fy llaw.

'Ga i fod ar ben y rhestr pan fyddi di'n barod?' medda fo.

'Ffŵl!' meddwn i. 'Sgin i ddim rhestr.'

Ond mi roedd yna rywbeth hynod o braf mewn cael bachgen erfyniol yn cerdded wrth fy ochr. Hyd yn oed os nad oeddwn i'n ei ffansïo fo.

'Iwan!' meddai Nain wedi inni gyrraedd.

Wrth gwrs, yn ein tŷ ni roedd Nain, nid yn yr estyniad.

'Gwna goffi iddo fo, Gwenno,' medda Nain gan ei setlo'i hun yn y gadair i holi Iwan tu wyneb allan am y bobl newydd yn Nhawelfa, a faint o welliannau roedden nhw wedi'i wneud.

'Lle mae Mam?' holais wedi cyrraedd y gegin.

'Emerjensi yn y swyddfa,' medda Dad yn anfodlon.

'Mi gaiff dâl ychwanegol,' medda fi. 'Tâl dwbl ar ddydd Sul, tydi?'

'Debyg,' medda Dad yn fwy anfodlon fyth.

'Iwan yma,' cyhoeddais.

'Bachgen arall!' sylwodd Dad. 'Dydw i ddim yn licio gweld cymaint ohonyn nhw o gwmpas y lle 'ma.'

'Dim ond tri sy wedi bod,' meddwn i. 'Derec Wyn a Rhun ac Iwan.'

'Tri yn ormod,' medda Dad. 'Canolbwyntio ar dy waith ysgol sydd eisio iti, ac anghofio bechgyn. A gobeithio bod pob un ohonyn nhw'n gwybod sut i fihafio.'

Mi fedrwn weld fod tymer yn ei gnoi.

'Rydw *i* yn gwybod sut mae bihafio,' pwysleisiais. 'Dyna sy'n bwysig, 'tê?'

'Ia—wel, mae 'na ddigon o enethod yn colli'u pennau,' medda Dad.

Wn i ddim be sy ar rieni weithiau. Maen nhw'n pregethu a rhybuddio fel petaen nhw'n arbenigwyr ar bopeth. Ys gwn i faint allan o ddeg gawsai Dad petawn i'n ei holi am atal cenhedlu? Chafodd o fawr o hwyl ar wneud hynny ei hun, neu fuasai Rhodri ddim yma.

'Ddim eisio dy weld ti'n gwneud camgymeriad ydw i,' medda Dad eto.

Am gamgymeriadau plant maen nhw'n sôn o hyd, byth am eu camgymeriadau eu hunain.

'Ylwch, Dad,' meddwn i'n gry. 'Dydw i ddim yn bwriadu cael rhyw hefo neb. Ddim nes y bydda i mewn cariad go iawn—ac wedi priodi. A taswn i'n bwriadu, mi fuaswn i'n gofalu defnyddio condom neu rywbeth. Dysgu digon am hynny yn yr ysgol.'

Mi aeth ei wyneb o'n goch danllyd.

'Wel . . . ia . . . ymm . . . mae'n well iti siarad hefo dy fam am bethau felly,' medda fo'n gloff.

Mi afaelodd rhyw ddiafol bach yndda i.

'Ond rydach chi'n gwybod digon i fy rhoi ar ben ffordd, tydach, Dad? Am gondoms a'r bilsen a phethau felly?'

Roedd Dad bron â ffrwydro.

'Dw i'n gobeithio mai tynnu coes rwyt ti, 'merch i,' medda fo'n chwyrn.

Fedrwn i ddim peidio â gwenu, ac mi sylwodd Dad. Mi'i gwelwn o'n ymladd ag ef ei hun am dipyn, cyn gwenu'n gynnil o'r diwedd.

'Mam ydi'r orau i gynghori merch, nid tad,' medda fo. 'A dyna ddigon ar dy wamalu di.'

Mi ffrwydrodd Llŷr i'r gegin yn faw i gyd, a Brechdan wrth ei sodlau.

'Aros lle'r wyt ti,' gwaeddais. 'Tynn dy sgidiau budr.'

Ond doedd waeth imi heb â gweiddi ar Brechdan. Roedd hwnnw wedi carlamu am y lolfa gan adael olion pawennau mwdlyd ar ei ôl.

'Dim ond bisged ydw i'i eisio,' meddai Llŷr. 'Ac un i Brechdan.'

Mi afaelodd Iwan yn Brechdan a'i gario o'r lolfa.

'Ych pych,' meddai Llŷr yn ddiflas. 'Cariad arall.'

Mae Gareth a Ronw'n byw yn drws nesa. Hwrê! Roeddwn i wedi gobeithio y byddai Ronw'n dŵad i'n hysgol ni. Rhyw feddwl pa mor braf fuasai cydgerdded at y bws yn y bore, a chyda lwc, ail-fyw'r profiad wedyn ar y ffordd adre. Ond i goleg trydyddol mae o'n mynd.

Ond rydw i'n trio bod yn y golwg bob cyfle ga i. Rhyw loetran ychydig ar lwybr yr ardd, a smalio ail-gau fy nhreiners a phethau felly. A phan ga i gip ar Ronw, mae o'n dweud 'Heia', ac yn rhoi winc fach neis arna i, ac weithiau mae o'n aros ac yn siarad am hyn a'r llall. Ac mae 'nghalon i'n bwrw'i thraed dros ei phen bob tro, a 'mreuddwydion i'n llawn o Ronw . . . Ronw . . . Ronw!

'Ydi o wedi gofyn iti fynd allan?' holodd Siw yn awchus. 'Biti fod Prysor gen i, neu mi fuaswn inna'n ffansïo'r hync arall 'na. Gareth. Dim ots ei fod o dipyn yn hen!'

A dweud y gwir, rydw i'n amau ei bod hi'n dechrau blino ar Prysor, ond ei bod hi ddim am gyfaddef.

'Wel—ydi o?' holodd.

'Ydi o be?' holais gan wybod yn iawn.

'Wedi gofyn iti, yr het!'

Roedd yn rhaid imi gyfaddef nad oedd o ddim.

'O wel—mae digon o amser ac yntau'n byw drws nesa,' cysurodd Siw.

Mae Gwen yn dal i hanner mynd hefo Derec Wyn, bob yn ail â Mandy Webb am wn i. Ac mae hi'n dal i smalio fy nghysuro inna am imi ei golli hefyd.

'Mae o'n siarad yn neis iawn amdanat ti,' medda hi un diwrnod. 'Ond hen gariad ydi hen gariad, 'tê?'

'Ia,' meddwn inna'n gry. 'Ond mae digon o gariadon newydd ar gael, does?'

'Oes—ac mae Ronw'n bishyn hefyd,' medda Siw.

'Ronw?'

Roedd ceg Gwen yn agor a chau heb fawr ddim yn dŵad allan.

'Ia—cariad newydd Gwenno,' medda Siw.

Roeddwn i'n teimlo fel rhoi cic go dda iddi.

'Yli'r het,' meddwn i'n ffyrnig wrth fynd am y dosbarth. 'Pam oeddet ti'n dweud hynny? Dydi o ddim yn wir.'

'Eisio rhwbio'r wên 'na oddi ar ei gwep hi,' medda Siw. 'Ac mae'n bryd iti symud ymlaen hefo Ronw. Gofyn iddo ddŵad i'r sinema neu rywbeth.'

'Y fi'n gofyn? Byth!' meddwn i mewn dychryn.

'Pam lai?' holodd Siw. 'Merched yn gyfartal y dyddiau yma, tydyn?'

Cyfartal neu beidio, doeddwn i ddim am fentro gofyn. Efallai mai gwrthod wnâi o. Ddown i byth dros y siom!

'Mae o'n siarad digon hefo ti ac yn siŵr o fod yn dy ffansïo di,' meddai Siw.

Mi wridais i'n biws wrth weld Ronw y noson honno, a chofio am eiriau Siw.

'Heia, sbecs,' medda fo a winc arna i.

'Heia, sbecs, dy hun,' meddwn i'n flin, a diflannu am y tŷ.

Dew, mae o'n bishyn a 'nghoesau innau'n mynnu

gwegian bob tro rydw i'n ei weld. Tybed wnaiff o ofyn imi rywdro?

Mae corwynt wedi taro'n tŷ ni! Dad wedi cael galwad i gyfweliad—a neb i warchod Rhodri.

'Rhaid iti gymryd bore i ffwrdd o dy waith, Menai,' medda Dad.

Ond golwg anfodlon benstiff oedd ar Mam. Roedd yn amlwg nad oedd hi'n cytuno.

'Fedra i ddim, Myrddin,' meddai. 'Maen nhw'n dibynnu arna i. Archeb newydd bwysig i mewn.'

'Ond be wna i?' holodd Dad bron â cholli'i wallt yn poeni. 'Taswn i'n cael y swydd yma, fasai dim angen iti weithio o gwbl.'

Roedd golwg benderfynol ar wyneb Mam.

'Wna i ddim rhoi'r gorau iddi, Myrddin,' meddai'n dawel. 'Rydw i'n mwynhau'r gwaith—ac yn teimlo'n rhan o'r byd y tu allan unwaith eto. Dydi aros gartre a magu babi—weld, dydi o ddim digon imi. Rydw i eisio rhywbeth mwy.'

'Ond—os ca i waith . . .'

Ysgwyd ei phen wnaeth Mam.

'Fedra i ddim mynd yn ôl i fod yn ddim ond gwraig tŷ'n unig,' meddai'n bendant. 'A dydi o ddim yn deg iti ddisgwyl hynny.'

'Ond, Menai . . .'

'Na Myrddin. Wna i ddim. Fedra i ddim,' medda Mam.

Roedd Nain yn llwytho glo ar ei thân mewnol ers meitin.

'Mae plentyn angen ei fam,' dyfarnodd. 'Yn y cartre mae'i lle hi.'

'Wnewch chi feindio'ch busnes, Nain?' meddai Mam yn chwyrn. 'Peth i Myrddin a finna ydi hyn. Ac mae cannoedd o ferched yn gweithio er bod ganddyn nhw fabis.'

'Mwya ffŵl nhw,' meddai Nain o dan ei gwynt.

'Ooo!' ebychodd Mam yn chwyrn a charlamu i fyny'r grisiau.

'Ylwch be wnaethoch chi rŵan,' medda Dad a chychwyn ar ei hôl.

'Well ichi beidio â dweud dim byd, Nain,' meddwn i.

Roedd Llŷr yn eistedd yn syfrdan ers meitin a'i dost yn ei law.

'Bwyta ditha iti gael mynd allan i chwarae at Garmon,' gorchmynnais.

'Ydi Mam yn crio?' holodd Llŷr a golwg anesmwyth ar ei wyneb. 'Ydi hi am fynd o 'ma i fyw?'

'Nac ydi siŵr,' cysurais.

'Ond maen nhw'n ffraeo.'

'Pawb yn ffraeo weithiau,' meddwn i. 'Beth amdanat ti a Garmon? Mi fyddwch chi'n ffraeo, byddwch?'

Rydw i'n mynd yn fwy o seiciatrydd bob dydd ac yn giamstar ar drin pobl.

'Ewch chi i eistedd, Nain,' meddwn i. 'Tra bydda i'n golchi'r llestri.

'Ia. Waeth imi fynd ddim,' medda hi'n drymaidd. 'Neb eisio clywed fy marn i. Aros yn y cartref ddylwn i fod wedi'i wneud. Lle tawel heb ddim rycsiwns!'

Heb ddim rycsiwns!

'Mi fuasa Magi Tŷ Isa yn fan'no,' meddwn i. 'Mae ffrae teulu'n well na ffrae ffrindiau, tydi, Nain?'

'Ffrindiau?' snortiodd Nain a chychwyn yn ffug grynedig am y lolfa.

'Wyt ti'n siŵr bod Mam am aros?' holodd Llŷr.

'Ydw. Dad a Mam yn caru'i gilydd, siŵr.'

''Run fath â chdi ac Iwan—a Rhun—a Derec Wyn?'

'Dos o'ma'r cranci,' meddwn i a gafael yn y cadach llestri. 'Eisio imi stwffio hwn lawr dy gorn gwddw di?'

'Fedret ti ddim,' haerodd Llŷr. 'Mae cosb am ladd rhywun.'

'Werth o bob ceiniog, dallta di,' meddwn i. 'Y cranci.'

Gwenu fel angel wnaeth o a rhedeg allan i chwarae hefo Brechdan.

Roeddwn i'n reit boenus yn golchi'r llestri. Beth ddigwyddai rŵan, tybed?

Mi ddaeth y ddau i lawr y grisiau toc, ac mi welais fod cadoediad mewn grym, er nad oedd 'run o'r ddau am wenu llawer.

'Mi ofynna i i Mrs Lloyd warchod Rhodri,' medda Mam. 'Ac os cei di'r swydd, yna mi fydd yn rhaid chwilio am feithrinfa.'

Rhyw fwnglian o dan ei wynt wnaeth Dad.

'A chofia, Myrddin,' medda Mam. 'Swydd hefo llai o gyflog nag o'r blaen fuasai hon iti. Mi fuasai angen fy arian ychwanegol i arnon ni.'

Busnes anodd ydi bod yn briod. Ond tasai Ronw yn gariad a gŵr imi rhyw ddiwrnod, synnwn i ddim na fedrwn i ymdopi hefo'r straen.

Rydw i'n jeli o 'mhen i 'nhraed. Newydd fod yn siarad yn hir hefo Ronw tros y wal gefn. Rydw i'n siŵr 'i fod o'n fy ffansïo. Pam arall y buasai fo'n siarad cymaint, ac yn edrych arna i a gwên yn ei lygaid?

Mi ffoniais Siw.

'Be?' meddai honno. 'Mi siaradaist oriau heb sicrhau dêt? Nefi, mi rwyt ti'n ara deg!'

'A be fuaset ti wedi'i wneud?' holais yn grac. 'Neidio tros y wal a thaflu dy hun arno fo?'

'Golygfa i'w mwynhau,' giglodd Siw. 'Fel Brechdan hefo asgwrn!'

Roedden ni o'n dwy yn lladd ein hunain yn giglan, pan ddaeth Dad trwodd o'r lolfa.

'Ffôn yn costio,' meddai'n oeraidd. 'A dydw i ddim yn graig o arian.'

Dew, mae rhieni'n blentynnaidd. Mae'n rhaid cael talu'r pwyth i rywun arall am nad ydi o'n cael ei ffordd ei hun hefo Mam.

'Mynd rŵan,' meddwn i wrth Siw. 'Dad yn tantro.'

A doedd ots gen i os oedd o'n clywed chwaith.

'Mi fydd tŷ a biliau dy hun gen ti rhyw ddiwrnod,' medda fo.

Mi wasga i ar bob ceiniog, os bydd Ronw a fi'n rhannu biliau!

'A be maen nhw'n ei wneud heno 'ma?' holodd Nain pan es i trwodd i'r estyniad.

(Fan 'na mae hi ers y ffrae, a ddim ond yn dŵad trwodd i nôl ei phrydau bwyd.)

'Mae gan Mam hawl i weithio os ydi hi eisio,' meddwn i. 'Hynny'n well nag iselder ysbryd hefo babi, tydi?'

Mi edrychodd Nain yn reit feddylgar arna i.

'Efalla dy fod ti'n iawn, Gwenno,' medda hi. 'Ia . . . efallai wir,' medda hi wedyn.

A dyma hi'n codi o'i chadair ac yn cychwyn yn benderfynol am y gegin.

'Menai,' medda hi wylaidd wedi cyrraedd. 'Wnewch chi faddau i hen wraig? Ddylwn i ddim bod wedi busnesu.'

Roedd distawrwydd syfrdan yn y gegin am eiliad.

'Wrth gwrs, Nain,' medda Mam o'r diwedd.

A dyma hi'n codi a rhoi cusan sydyn i Nain—wir yr! Roeddwn i bron â llewygu!

Mi wasgodd Nain ei llaw am eiliad, cyn troi am y lolfa a golwg od ar ei hwyneb. Bron â chrio, efallai!

'Rydach chi'n garedig iawn yn rhoi cartref imi,' meddai.

Wel—rhyfeddod mwya'r flwyddyn, os nad y ganrif!

'Ond dydi o ddim yn golygu fy mod i'n cyd-weld chwaith,' medda Nain yn dechrau dŵad ati'i hun. 'Gartre mae lle mam, ond chi ŵyr eich potas.'

Mi edrychodd Mam a finna ar ein gilydd wedi iddi fynd.

'Sŵp mae hi'n 'i feddwl,' meddwn i a dechrau chwerthin.

Ac yna roedd Mam a finna'n pwyso ar y sinc yn giglan yn ddistaw rhag ofn i Nain glywed.

'Chwarae teg i Nain,' meddwn i. 'Mae eisio calon i ymddiheuro fel 'na.'

Diwrnod ysgol arall, a sioc fwyaf y tymor. Gwen am gael parti nos Sadwrn ac wedi gwadd Siw a finna.

'Hefo Prysor—a be 'di'i enw fo hefyd—Ronw?' medda hi'n wên deg.

'Iawn,' meddwn i'n dalog. 'Mi ofynna i iddo fo.'

Ond . . .

'Be wna i rŵan?' meddwn i'n ddioddefus wrth Siw yn ddiweddarach.

'Gofyn iddo fo.'

'Ond fedra i ddim.'

'Medri siŵr.'

'Na fedra. Marw o embaras.'

'Mi ofynna i drosot ti.'

'Paid â meiddio.'

'Wel, rhaid i rywun wneud.'

'Mi ddeuda i'i fod o'n wael, ac yn methu dŵad,' meddwn i.

'Choelith neb mohonot ti.'

'A'i fod o'n yr ysbyty hefo brech yr ieir.'

'Neb yn mynd i'r ysbyty hefo hynny'r het!'

'Ond be wna i?'

'Gofyn iddo fo, 'tê?'

Mae Siw yn rêl tôn gron weithiau. Ond does 'run o 'nhraed i am fynd i ofyn iddo fo.

Ond mae gobaith hyd yn oed yn yr awr dywyllaf! Mi welais Ronw ar y ffordd adre, ac mi gydgerddon ni ar hyd y palmant.

'Heia, sbecs,' medda fo.

'Heia, sbecs dy hun,' atebais a 'nghalon yn canu.

A dyma fo'n rhoi winc arna i nes y teimlwn i'r gwres yn codi.

'Be wyt ti'n ei wneud dydd Sadwrn?' medda fo.

'Ymm . . . dim byd llawer,' meddwn i, a chroesi fy mysedd.

Mi gydgerddon ni fetrau wedyn yn dawedog. Roedd o am ofyn imi. Oedd! Oedd! Mi gerddodd ton o hapusrwydd dros fy nghorff.

'Gareth a finna'n chwarae pêl-droed,' medda fo.

Mi giliodd y don hapusrwydd i rywle a fy ngadael inna'n llipa isel.

'O, ydych chi?' meddwn i.

'Yn y pnawn,' medda fo wedyn.

'O,' meddwn i.

'Wyt ti'n licio gwylio pêl-droed?' holodd.

'Dibynnu pwy sy'n chwarae.'

Yna, dyma fo'n troi ata i gan wenu'n neis.

'Trio gofyn iti ydw i. Wyt ti ffansi dŵad allan gyda'r nos?'

Wel, pam na fasa fo'n gofyn yn syth bin, yn lle mynd rownd yr Horn?

'Wyt *ti* ffansi dŵad i barti?' holais.

'Gêm i rywbeth,' medda fo a gafael yn fy llaw. 'Hefo chdi.'

Fedrwn i ddim cyrraedd y tŷ'n ddigon buan er mwyn imi gael ffonio Siw.

'Newydd ei gweld hi rwyt ti,' grwgnachodd Dad. 'Dwy funud—a dim ond hynny.'

'Siw,' meddwn i. 'Mae o wedi gofyn!'

Roedd yna sgrech yr ochr arall.

'Do? Wir? Grêt!'

'Yntê, hefyd,' meddwn i'n hapus.

Roedd y parti'n ogoneddus a Ronw yn ddawnsiwr penigamp. Ac roedd Gwen a Gwawr a sawl un o'r genethod yn glafoerio bron uwch ei ben. Ond waeth iddyn nhw heb. Fy nghariad i ydi o.

Mi ddalion ni'r bws yn ôl, a cherdded adre law yn llaw wedyn heb falio dim am yr oerni. Ac roedd fy myd i'n orlawn o hapusrwydd, a Derec Wyn ac Iwan a Rhun yn ddim ond cysgodion yn fy mywyd i.

Yna mi arhoson ni wrth giât y dreif a throi at ein gilydd.

'Heia, sbecs,' medda Ronw a rhoi cusan arbrofol imi.

'Heia sbecs, dy hun,' meddwn i a dychwelyd y gusan gyda diddordeb.

Sut mae dau hefo sbecs yn cusanu? Wwww! Gyda'r pleser mwya!

Hefyd yn y gyfres:

Jabas Penri Jones (Dwyfor)
Cyffro Clöe Irma Chilton (Gomer)
Pen Tymor Meinir Pierce Jones (Gomer)
Hydref Gobeithion Mair Wynn Hughes (Tŷ ar y Graig)
'Tydi Bywyd yn Boen! Gwenno Hywyn (Gwynedd)
O'r Dirgel Storïau Ias ac Arswyd, gol. Irma Chilton (Gomer)
Dydi Pethau'n Gwella Dim! Gwenno Hywyn (Gwynedd)
Cicio Nyth Cacwn Elwyn Ashford Jones (Carreg Gwalch)
Tecs Mary Hughes (Gomer)
Liw Irma Chilton (Gomer)
Mwg yn y Coed Hugh D. Jones (Gomer/CBAC)
Iawn yn y Bôn Mari Williams (Gomer/CBAC)
Pwy sy'n Euog? addas. John Rowlands (Gomer)
Ciw o Fri! addas. Ieuan Griffith (Gomer)
Ses addas. Dylan Williams (Dwyfor)
Wela i Di! addas. Elin Dalis (Gomer)
Ar Agor fel Arfer addas. Huw Llwyd Rowlands (Gomer)
Gwarchod Pawb! addas. Hazel Charles Evans (Cyhoeddiadau Mei)
Mêl i Gyd? Mair Wynn Hughes (Gomer/CBAC)
Llygedyn o Heulwen! Mair Wynn Hughes (Gomer/CBAC)
Tipyn o Smonach! Mair Wynn Hughes (Gomer/CBAC)
Dwy Law Chwith Elfyn Pritchard (Gomer)
Codi Pac addas. Glenys Howells (Gomer)
Mochyn Gwydr Irma Chilton (Gomer)
Cari Wyn: Cyfaill Cariadon addas. Gwenno Hywyn (Gwynedd)
Un Nos Sadwrn . . . Marged Pritchard (Gomer)
Cymysgu Teulu addas. Meinir Pierce Jones (Gomer)
Gadael y Nyth addas. William Gwyn Jones (Gwynedd)
Gwsberan addas. Dyfed Rowlands (Gomer)
Coup d'État Siân Jones (Gomer)
'Tydi Cariad yn Greulon! Gwenno Hywyn (Gwynedd)
O Ddawns i Ddawns Gareth F. Williams (Y Lolfa)
Broc Môr Gwen Redvers Jones (Gomer)
5 Stryd y Bont Irma Chilton (Gomer)
Cari Wyn: 'Gendarme' o Fri! addas. Gwenno Hywyn (Gwynedd)
Adlais Shoned Wyn Jones (Y Lolfa)
O Na Byddai'n Haf o Hyd addas. Manon Rhys (Gomer)
Tipyn o Gamp addas. W. J. Jones (Gwynedd)
Oni Bai am Bedwyr addas. Elin Dalis (Gomer)
Jabas 2 Penri Jones (Dwyfor)
Nefoedd Wen! Dafydd Price Jones (Gee)
Prosiect Nofa Andras Millward (Y Lolfa)
Heb ei Fai . . . Elwyn Ashford Jones (Gomer)
Angharad Mair Wynn Hughes (Gomer)

Maggie addas. Rhian Pierce Jones (Gomer)
Y Sêr a Wêl Ross Davies (Gomer)
Dan Leuad Llŷn Penri Jones (Y Lolfa)
Samhain Andras Millward (Y Lolfa)
Llinynnau Rhyddid addas. Rhian Pierce Jones (Gomer)
Mac Rhian Ithel (Gomer)
Y Mabin-od-i Hilma Lloyd Edwards (Y Lolfa)
Charlie Gwen Redvers Jones (Gomer)
Coch yw Lliw Hunllef Mair Wynn Hughes (Gomer)
Byth Ffarwél Mair Wynn Hughes (Gomer)
Un Cythraul yn Ormod Andras Millward (Y Lolfa)
Babanod Blawd addas. Emily Huws (Gomer)
Dala'u Tir addas. Delyth George (CLC)
Cicio a Brathu addas. Esyllt Penri (Carreg Gwalch)
Pla 99 addas. Esyllt Penri (Carreg Gwalch)
Ffridd y Cythreuliaid addas. Gruff Roberts (Gwynedd)